ANTONIO TA...
SOSTIENE PEREIRA

Una testimonianza

Feltrinelli

© Giangiacomo Feltrinelli Editore Milano
Prima edizione ne "I Narratori" gennaio 1994
Prima edizione nell'"Universale Economica" maggio 1996
Quindicesima edizione luglio 2001

ISBN 88-07-81381-5

1

Sostiene Pereira di averlo conosciuto in un giorno d'estate. Una magnifica giornata d'estate, soleggiata e ventilata, e Lisbona sfavillava. Pare che Pereira stesse in redazione, non sapeva che fare, il direttore era in ferie, lui si trovava nell'imbarazzo di mettere su la pagina culturale, perché il "Lisboa" aveva ormai una pagina culturale, e l'avevano affidata a lui. E lui, Pereira, rifletteva sulla morte. Quel bel giorno d'estate, con la brezza atlantica che accarezzava le cime degli alberi e il sole che splendeva, e con una città che scintillava, letteralmente scintillava sotto la sua finestra, e un azzurro, un azzurro mai visto, sostiene Pereira, di un nitore che quasi feriva gli occhi, lui si mise a pensare alla morte. Perché? Questo a Pereira è impossibile dirlo. Sarà perché suo padre, quando lui era piccolo, aveva un'agenzia di pompe funebri che si chiamava *Pereira La Dolorosa*, sarà perché sua moglie era morta di tisi qualche anno prima, sarà perché lui era grasso, soffriva di cuore e aveva la pressione alta e il medico gli aveva detto che se andava avanti così non gli restava più tanto tempo, ma il fatto è che Pereira si mise a pensare alla morte, sostiene. E per caso, per puro caso, si mise a sfogliare una rivista. Era una rivista letteraria, che però aveva anche una sezione di filosofia. Una rivista d'avanguardia, forse, di questo Pereira non è sicuro, ma che aveva molti collaboratori cattolici. E Pereira era cattolico, o almeno in quel momento si sentiva cattolico, un buon cattolico, ma in una cosa non riusciva a credere, nella resurrezione della carne. Nell'anima sì, certo, perché era sicuro di avere un'anima; ma tutta la sua carne, quella ciccia che circondava la sua anima, ebbene, quella no, quella non sarebbe tornata a risorgere, e poi perché?, si chiedeva Pereira. Tutto quel lardo che lo accompagnava quotidianamente, il sudore, l'affanno a salire le scale, perché dovevano risorgere? No, non voleva più tutto questo, in un'altra vita, per l'eternità, Pereira, e non voleva credere nella resurrezione della carne. Così si mise a sfogliare quella rivista, con noncuranza, perché provava noia, sostiene, e trovò un articolo che diceva: «Da una tesi discussa il mese scorso all'Università di Lisbona pubblichiamo una riflessione sulla morte. L'autore è Francesco Monteiro Rossi, che si è laureato in Filosofia a pieni voti, e questo è solo un brano del suo saggio, perché forse in futuro egli collaborerà nuovamente con noi».

Sostiene Pereira che da principio si mise a leggere distrattamente l'articolo, che non aveva titolo, poi macchinalmente tornò indietro e ne ricopiò un pezzo. Perché lo fece? Questo Pereira non è in grado di dirlo. Forse perché quella rivista d'avanguardia cattolica gli dava fastidio, forse perché quel giorno era stufo d'avanguardie e di cattolicismi, anche se lui era profondamente cattolico, o forse perché in quel momento, in quell'estate sfavillante su Lisbona, con tutta quella mole che gli pesava addosso detestava l'idea della resurrezione della carne, ma il fatto è che si mise a ricopiare l'articolo, forse per poter buttare la rivista nel cestino.

Sostiene che non lo ricopiò tutto, ne ricopiò solo alcune righe che sono le seguenti e che può documentare: «Il rapporto che caratterizza in modo più profondo e generale il senso del nostro essere è quello della vita con la morte, perché la limitazione della nostra esistenza mediante la morte è decisiva per la comprensione e la valutazione della vita». Poi prese l'elenco telefonico e disse fra sé e sé: Rossi, che nome strano, più di un Rossi non ci può essere sull'elenco, sostiene che fece un numero, perché di quel numero si ricorda bene, e dall'altra parte sentì una voce che disse: pronto. Pronto, disse Pereira, qui è il "Lisboa". E la voce disse: sì? Bene, sostiene di aver detto Pereira, il "Lisboa" è un giornale di Lisbona, è nato qualche mese fa, non so se lei lo ha visto, siamo apolitici e indipendenti, però crediamo nell'anima, voglio dire che abbiamo tendenze cattoliche, e vorrei parlare con il signor Monteiro Rossi. Pereira sostiene che dall'altra parte ci fu un momento di silenzio e poi la voce disse che Monteiro Rossi era lui e che non è che pensasse troppo all'anima. Pereira a sua volta mantenne qualche secondo di silenzio, perché gli pareva strano, sostiene, che una persona che aveva firmato riflessioni così profonde sulla morte non pensasse all'anima. E dunque pensò che ci fosse un equivoco, e subito l'idea gli andò alla resurrezione della carne, che era una sua fissa, e disse che aveva letto un articolo di Monteiro Rossi sulla morte, e poi disse che anche lui, Pereira, non credeva alla resurrezione della carne, se era questo che il signor Monteiro Rossi voleva dire. Insomma, Pereira si impappinò, sostiene, e questo lo irritò, lo irritò principalmente con se stesso, perché si era preso la briga di telefonare a uno sconosciuto e di parlargli di quelle cose delicate, anzi, così intime, come l'anima e la resurrezione della carne. Pereira si pentì, sostiene, e lì per lì pensò anche di riattaccare la cornetta, ma poi, chissà perché, trovò la forza di continuare e così disse che lui si chiamava Pereira, dottor Pereira, che dirigeva la pagina culturale del "Lisboa" e che, certo, per ora il "Lisboa" era un giornale del pomeriggio, insomma un giornale che non poteva certo competere con gli altri giornali della capitale, ma che era sicuro che avrebbe fatto la sua strada, prima o poi, e era vero che per ora il "Lisboa" dava spazio soprattutto alla cronaca rosa, ma insomma, ora avevano deciso di pubblicare una pagina culturale che usciva il sabato e la redazione non era ancora completa e per questo aveva bisogno di personale, di un collaboratore esterno che facesse una rubrica fissa.

Sostiene Pereira che il signor Monteiro Rossi farfugliò subito che sarebbe andato in redazione quel giorno stesso, disse anche che il lavoro lo interessava, che tutti i lavori lo interessavano, perché, eh sì, aveva proprio bisogno di lavorare, ora che aveva finito l'università e si doveva mantenere, ma Pereira ebbe la precauzione di dirgli che in redazione no, per ora era meglio di no, magari si trovavano fuori, in città, e che era meglio darsi un appuntamento. Disse così, sostiene, perché non voleva invitare una persona sconosciuta in quella squallida stanzetta di Rua Rodrigo da Fonseca, dove ronzava un ventilatore asmatico e dove c'era sempre puzzo di fritto a causa della portiera, una megera che guardava tutti con aria sospettosa e che non faceva altro che friggere. E poi non voleva che uno sconosciuto si accorgesse che la redazione culturale del "Lisboa" era solo lui, Pereira, un uomo che sudava dal caldo e dal disagio in quel bugigattolo, e insomma, sostiene Pereira, gli chiese se potevano incontrarsi in città, e lui, Monteiro Rossi, gli disse: stasera, in Praça da Alegria, c'è un ballo popolare con canzoni e schitarrate, io sono stato invitato a cantare una romanza napoletana, sa, io sono mezzo italiano ma il napoletano non lo conosco, comunque il proprietario del locale mi ha riservato un tavolino all'aperto, sul mio tavolino c'è un cartellino con scritto Monteiro Rossi, che ne dice se ci vediamo là? E Pereira disse di sì, sostiene, riattaccò la cornetta, si asciugò il sudore, e poi gli venne una magnifica idea, di fare una breve rubrica intitolata "Ricorrenze", e pensò di pubblicarla subito per il prossimo sabato, e così, quasi macchinalmente, forse perché pensava all'Italia, scrisse il titolo: *Due anni fa scompariva Luigi Pirandello*. E poi, sotto, scrisse l'occhiello: «Il grande drammaturgo aveva presentato a Lisbona il suo *Sogno ma forse no*».

Era il venticinque di luglio del millenovecentotrentotto, e Lisbona scintillava nell'azzurro di una brezza atlantica, sostiene Pereira.

10

2

Pereira sostiene che quel pomeriggio il tempo cambiò. All'improvviso la brezza atlantica cessò, dall'oceano arrivò una spessa cortina di nebbia e la città si trovò avvolta in un sudario di calura. Prima di uscire dal suo ufficio Pereira guardò il termometro che aveva comprato a spese sue e che aveva appeso dietro la porta. Segnava trentotto gradi. Pereira spense il ventilatore, trovò la portiera sulle scale che gli disse arrivederci dottor Pereira, annusò ancora una volta l'odore di fritto che aleggiava nell'atrio e uscì finalmente all'aperto. Davanti al portone c'erano i mercati rionali e la Guarda Nacional Republicana vi stazionava con due camionette. Pereira sapeva che i mercati erano in agitazione, perché il giorno prima, in Alentejo, la polizia aveva ucciso un carrettiere che riforniva i mercati e che era socialista. Per questo la Guarda Nacional Republicana stazionava davanti ai cancelli dei mercati. Ma il "Lisboa" non aveva avuto il coraggio di dare la notizia, o meglio il vicedirettore, perché il direttore era in ferie, stava al Buçaco, a godersi il fresco e le terme, e chi poteva avere il coraggio di dare una notizia del genere, che un carrettiere socialista era stato massacrato in Alentejo sul suo barroccio e aveva cosparso di sangue tutti i suoi meloni? Nessuno, perché il paese taceva, non poteva fa-

13

re altro che tacere, e intanto la gente moriva e la polizia la faceva da padrona. Pereira cominciò a sudare, perché pensò di nuovo alla morte. E pensò: questa città puzza di morte, tutta l'Europa puzza di morte.

Si recò al Café Orquídea, che era lì a due passi, dopo la macelleria ebraica, e si sedette a un tavolino, ma dentro il locale, perché almeno c'erano i ventilatori, visto che fuori non si poteva stare dalla calura. Ordinò una limonata, andò alla toilette, si sciacquò mani e viso, si fece portare un sigaro, ordinò il giornale del pomeriggio e Manuel, il cameriere, gli portò proprio il "Lisboa". Non aveva visto le bozze, quel giorno, perciò lo sfogliò come se fosse un giornale sconosciuto. La prima pagina diceva: «Oggi da New York è partito lo yacht più lussuoso del mondo». Pereira guardò a lungo il titolo, poi guardò la fotografia. Era un'immagine che ritraeva un gruppo di persone in paglietta e camicia che stappavano bottiglie di champagne. Pereira cominciò a sudare, sostiene, e pensò di nuovo alla resurrezione della carne. Come, pensò, se risorgo dovrò trovarmi con questa gente in paglietta? Pensò davvero di trovarsi con quella gente del panfilo in un porto non precisato dell'eternità. E l'eternità gli parve un luogo insopportabile oppresso da una cortina di calura nebbiosa, con gente che parlava in inglese e che faceva dei brindisi esclamando: oh oh! Pereira si fece portare un'altra limonata. Pensò se era il caso di andarsene a casa sua a fare un bagno fresco o se non era il caso di andare a trovare il suo amico parroco, don António della Chiesa das Mercês, dal quale si era confessato alcuni anni prima, quando era morta sua moglie, e che andava a trovare una volta al mese. Pensò che era meglio andare a trovare don António, forse gli avrebbe fatto bene.

E così fece. Sostiene Pereira che quella volta si dimenticò di pagare. Si alzò con noncuranza, anzi, senza pensarci, e se ne andò, semplicemente, e sul tavolo lasciò il suo giornale e il suo cappello, perché forse con quella calura non aveva voglia di metterselo in testa, o perché lui era fatto così, che si dimenticava gli oggetti.

Padre António era distrutto, sostiene Pereira. Aveva delle occhiaie che gli arrivavano fino alle guance, e un'aria sfinita, come di chi non ha dormito. Pereira gli chiese cosa gli era successo e padre António gli disse: ma come, non hai saputo?, hanno massacrato un alentejano sulla sua carretta, ci sono scioperi, qui in città e altrove, ma in che mondo vivi, tu che lavori in un giornale?, senti Pereira, vai un po' a informarti.

Pereira sostiene che uscì turbato da questo breve colloquio e dalla maniera in cui era stato congedato. Si chiese: in che mondo vivo? E gli venne la bizzarra idea che lui, forse, non viveva, ma era come fosse già morto. Da quando era scomparsa sua moglie lui viveva come se fosse morto. O meglio: non faceva altro che pensare alla morte, alla resurrezione della carne nella quale non credeva e a sciocchezze di questo genere, la sua era solo una sopravvivenza, una finzione di vita. E si sentì spossato, sostiene Pereira. Riuscì a trascinarsi fino alla più vicina fermata del tram e prese un tram che lo portò fino al Terreiro do Paço. E intanto, dal finestrino, guardava sfilare lentamente la sua Lisbona, guardava l'Avenida da Liberdade, con i suoi bei palazzi, e poi la Praça do Rossio, di stile inglese; e al Terreiro do Paço scese e prese il tram che saliva fino al Castello. Discese all'altezza della Cattedrale, perché lui abitava lì vicino, in Rua da Saudade. Salì faticosamente la rampa di strada che portava fino a casa sua. Suonò alla portiera perché non aveva voglia di cercare le chiavi del portone, e la portiera, che gli faceva anche da donna di servizio, venne ad aprirgli. Dottor Pereira, disse la portiera, le ho preparato una braciola fritta per cena. Pereira la ringraziò e salì lentamente la scala, prese la chiave di casa da sotto lo zerbino, dove la teneva sempre, ed entrò. Nell'ingresso si soffermò davanti alla libreria, dove c'era il ritratto di sua moglie. Quella fotografia l'aveva scattata lui, nel millenovecentoventisette, era stato durante una gita a Madrid, e sullo sfondo si vedeva la sagoma massiccia dell'Escorial. Scusa se sono un po' in ritardo, disse Pereira.

Sostiene Pereira che da un po' di tempo aveva preso l'abitudine di parlare al ritratto della moglie. Gli raccontava quello che aveva fatto durante il giorno, gli confidava i suoi pensieri, chiedeva consigli. Non so in che mondo vivo, disse Pereira al ritratto, me lo ha detto anche padre António, il problema è che non faccio altro che pensare alla morte, mi pare che tutto il mondo sia morto o che sia in procinto di morire. E poi Pereira pensò al figlio che non avevano avuto. Lui sì, lo avrebbe voluto, ma non poteva chiederlo a quella donna gracile e sofferente che passava notti insonni e lunghi periodi in sanatorio. E si dispiacque. Perché se ora avesse avuto un figlio, un figlio grande col quale sedersi a tavola e parlare, non avrebbe avuto bisogno di parlare con quel ritratto che si riferiva a un viaggio lontano del quale quasi non si ricordava più. E disse: beh, pazienza, che era la sua formula di commiato dal ritratto di sua moglie. Poi andò in cucina, si sedette alla tavola e tolse il coperchio che copriva la padella con la braciola fritta. Era una braciola fredda, ma non aveva voglia di scaldarla. La mangiava sempre così, come gliela aveva lasciata la portiera: fredda. Mangiò rapidamente, andò in bagno, si lavò le ascelle, si cambiò la camicia, si mise una cravatta nera e si dette un po' di profumo spagnolo che era rimasto in un flacone che aveva comprato nel millenovecentoventisette a Madrid. Poi indossò una giacca grigia e uscì per andare in Praça da Alegria, perché ormai erano le nove di sera, sostiene Pereira.

3

Pereira sostiene che la città sembrava in mano alla polizia, quella sera. Ne trovò dappertutto. Prese un taxi fino al Terreiro do Paço e sotto i portici c'erano camionette e agenti con i moschetti. Forse avevano paura di manifestazioni o di concentrazioni di piazza, e per questo presidiavano i punti strategici della città. Lui avrebbe voluto proseguire a piedi, perché il cardiologo gli aveva detto che gli ci voleva del moto, ma non ebbe il coraggio di passare davanti a quei militari sinistri, e così prese il tram che percorreva Rua dos Fanqueiros e che finiva in Praça da Figueira. Qui scese, sostiene, e trovò altra polizia. Questa volta dovette passare di fronte ai drappelli, e questo gli procurò un leggero malessere. Passando sentì un ufficiale che diceva ai soldati: e ricordatevi ragazzi che i sovversivi sono sempre in agguato, è bene stare con gli occhi aperti.

Pereira si guardò intorno, come se quel consiglio fosse stato dato a lui, e non gli parve che bisognasse stare con gli occhi aperti. L'Avenida da Liberdade era tranquilla, il chiosco dei gelati era aperto e c'erano delle persone ai tavolini che prendevano il fresco. Lui si mise a passeggiare tranquillamente sul marciapiede centrale e a quel punto, sostiene, cominciò a sentire la musica. Era una musica dolce e malinconica, di chitarre di Coimbra, e trovò strana quella coniugazione, di musica e polizia. Pensò che venisse da Praça da Alegria e infatti così era, perché man mano che si avvicinava la musica aumentava di intensità.

Non sembrava proprio una piazza da città in stato d'assedio, sostiene Pereira, perché non vide polizia, anzi, vide solo una guardia notturna che gli parve ubriaca e che sonnecchiava su una panchina. La piazza era abbellita con festoni di carta, con lampadine colorate gialle e verdi che pendevano su dei fili tesi da una finestra all'altra. C'erano alcuni tavolini all'aperto e qualche coppia ballava. Poi vide uno striscione di stoffa teso da un albero all'altro della piazza dove c'era un'enorme scritta: *Onore a Francisco Franco*. E sotto, in lettere più piccole: *Onore ai militari portoghesi in Spagna*.

Sostiene Pereira che solo in quel momento capì che quella era una festa salazarista, e per questo non aveva bisogno di essere presidiata dalla polizia. E solo allora si accorse che molte persone avevano la camicia verde e il fazzoletto al collo. Si fermò atterrito, e in un attimo pensò a varie cose diverse. Pensò che forse Monteiro Rossi era uno dei loro, pensò al carrettiere alentejano che aveva macchiato di sangue i suoi meloni, pensò a quello che avrebbe detto padre António se lo avesse visto in quel luogo. Pensò a tutto questo e si sedette sulla panchina dove sonnecchiava la guardia notturna, e si lasciò andare ai suoi pensieri. O meglio, si lasciò andare alla musica, perché la musica, nonostante tutto, gli piaceva. C'erano due vecchietti che suonavano, uno la viola e l'altro la chitarra, e suonavano struggenti musiche di Coimbra della sua gioventù, di quando lui era studente universitario e pensava alla vita come a un avvenire radioso. E anche lui a quel tempo suonava la viola nelle feste studentesche, e era magro e agile, e faceva innamorare le ragazze. Tante belle ragazze che andavano matte per lui. E lui invece si era appassionato di una ragazzina fragile e pallida, che scriveva poesie e spesso aveva mal di testa. E poi pensò a altre cose della sua vita, ma queste Pereira non vuole riferirle, perché sostiene che sono sue e solo sue e che non aggiungono niente a quella sera e a quella festa in cui era capitato suo malgrado. E poi, sostiene Pereira, a un certo punto vide alzarsi da un tavolino un giovane alto e snello con una camicia chiara che andò a mettersi fra i due vecchietti musicanti. E, chissà perché, sentì una fitta al cuore, forse perché gli sembrò di riconoscersi in quel giovanotto, gli sembrò di ritrovare il se stesso dei tempi di Coimbra, perché in qualche modo gli assomigliava, non nei tratti, ma nella maniera di muoversi, e un po' nei capelli, che gli cadevano a ciocca sulla fronte. E il giovane cominciò a cantare una canzone italiana, *O sole mio*, di cui Pereira non capiva le parole, ma era una canzone piena di forza e di vita, bella e limpida, e lui capiva solo le parole "o sole mio" e non capiva altro, e intanto il giovanotto cantava, si era alzata di nuovo un po' di brezza atlantica e la serata era fresca, e tutto gli parve bello, la sua vita passata di cui non vuole parlare, Lisbona, la volta del cielo che si vedeva sopra le lampadine colorate, e sentì una grande nostalgia, ma non vuole dire per che cosa, Pereira. Comunque capì che quel giovanotto che cantava era la persona con la quale aveva parlato per telefono nel pomeriggio, così, quando costui ebbe finito di cantare, Pereira si alzò dalla panchina, perché la curiosità era più forte delle sue riserve, si diresse al tavolino e disse al giovanotto: il signor Monteiro Rossi, immagino. Monteiro Rossi fece la mossa di alzarsi, urtò contro il tavolino, il boccale di birra che era davanti a lui cadde e lui si macchiò completamente i bei pantaloni bianchi. Le chiedo scusa, farfugliò Pereira. Sono io che sono sbadato, disse il giovanotto, mi succede spesso, lei è il dottor Pereira del "Lisboa", immagino, la prego si accomodi. E gli tese la mano.

Sostiene Pereira che si accomodò al tavolino sentendosi imbarazzato. Pensò fra sé che quello non era il suo posto, che era assurdo incontrare uno sconosciuto a quella festa nazionalista, che padre António non avrebbe approvato il suo comportamento; e che desiderò di essere già di ritorno a casa sua e di parlare al ritratto di sua moglie per chiedergli scusa. E fu tutto questo che pensava che gli dette il coraggio di fare una domanda diretta, tanto per aprire la conversazione, e senza pensarci più di troppo chiese a Monteiro Rossi: questa è una festa della gioventù salazarista, lei è della gioventù salazarista?

Monteiro Rossi si ravviò la ciocca di capelli che gli cadeva sulla fronte e rispose: io sono laureato in filosofia, mi interesso di filosofia e di letteratura, ma questo cosa c'entra con il "Lisboa"? C'entra, sostiene di aver detto Pereira, perché noi facciamo un giornale libero e indipendente, e non ci vogliamo mettere in politica.

Intanto i due vecchietti ricominciarono a suonare, dalle loro corde malinconiche traevano una canzone franchista, ma Pereira, nonostante il disagio, a quel punto capì che era in gioco e che doveva giocare. E stranamente capì che era in grado di farlo, che aveva in mano la situazione, perché lui era il dottor Pereira del "Lisboa" e il giovanotto che gli stava di fronte pendeva dalle sue labbra. E così disse: ho letto il suo articolo sulla morte, mi è parso molto interessante. Ho fatto una tesi sulla morte, rispose Monteiro Rossi, ma lasci che le dica che non è tutta farina del mio sacco, quel pezzo che la rivista ha pubblicato l'ho copiato, glielo confesso, in parte da Feuerbach e in parte da uno spiritualista francese, e anche il mio professore non se n'è accorto, sa, i professori sono più ignoranti di quanto non si creda. Pereira sostiene che ci pensò due volte a fare la domanda che si era preparato per tutta la sera, ma alla fine si decise, e prima ordinò una bibita al giovane cameriere in camicia verde che li serviva. Mi scusi, disse a Monteiro Rossi, ma io non bevo alcolici, bevo solo limonate, prendo una limonata. E sorseggiando la sua limonata chiese a bassa voce, come se qualcuno potesse udirlo e censurarlo: ma a lei, scusi, ecco, vorrei chiedere questo, a lei interessa la morte?

Monteiro Rossi fece un largo sorriso, e questo lo imbarazzò, sostiene Pereira. Ma che dice dottor Pereira, esclamò Monteiro Rossi a voce alta, a me interessa la vita. E poi continuò a voce più bassa: senta, dottor Pereira, di morte sono stufo, due anni fa è morta mia madre, che era portoghese e che faceva l'insegnante, è morta dall'oggi al domani, per un aneurisma al cervello, parola complicata per dire che scoppia una vena, insomma, di un colpo, l'anno scorso è morto mio padre, che era italiano e che lavorava come ingegnere navale nei bacini del porto di Lisbona, mi ha lasciato qualcosa, ma questo qualcosa è già finito, ho ancora una nonna che vive in Italia, ma non la vedo da quando avevo dodici anni e non ho voglia di andare in Italia, mi pare che la situazione sia ancora peggio della nostra, di morte sono stufo, dottor Pereira, scusi se sono franco con lei, ma poi perché questa domanda?

Pereira bevve un sorso della sua limonata, si asciugò le labbra col dorso della mano e disse: semplicemente perché in un giornale bisogna fare gli elogi funebri degli scrittori o un necrologio ogni volta che muore uno scrittore importante, e il necrologio non si può fare da un momento all'altro, bisogna averlo già preparato, e io cerco qualcuno che scriva necrologi anticipati per i grandi scrittori della nostra epoca, immagini se domani morisse Mauriac, io come me la caverei?

Pereira sostiene che Monteiro Rossi ordinò un'altra birra. Da quando era arrivato il giovanotto ne aveva bevute almeno tre e a quel punto, secondo la sua opinione, doveva essere già un po' brillo, o almeno un po' caricato. Monteiro Rossi si ravviò la ciocca di capelli che gli cadeva sulla fronte e disse: dottor Pereira, io parlo bene le lingue e conosco gli scrittori della nostra epoca; a me piace la vita, ma se lei vuole che parli della morte e mi paga, così come mi hanno pagato stasera per cantare una canzone napoletana, io posso farlo, e per dopodomani le scrivo un elogio funebre di García Lorca, che ne dice di García Lorca?, in fondo ha inventato l'avanguardia spagnola, così come il nostro Pessoa ha inventato il modernismo portoghese, e poi è un artista completo, si è occupato di poesia, di musica e di pittura.

Pereira sostiene di aver risposto che García Lorca non gli sembrava il personaggio ideale, comunque si poteva tentare, purché se ne parlasse con misura e cautela, facendo riferimento esclusivamente alla sua figura di artista e senza toccare altri aspetti che potevano essere delicati, data la situazione. E allora, con la maggiore naturalezza possibile, Monteiro Rossi gli disse: senta, scusi se glielo dico, io le faccio l'elogio funebre di García Lorca, ma lei non mi potrebbe anticipare qualcosa?, ho bisogno di comprarmi dei pantaloni nuovi, questi sono tutti macchiati, e domani devo uscire con una ragazza che mi viene ora a cercare e che ho conosciuto all'università, è una mia compagna e a me piace molto, vorrei portarla al cinema.

4

La ragazza che arrivò, sostiene Pereira, portava un cappello di refe. Era bellissima, chiara di carnagione, con gli occhi verdi e le braccia tornite. Indossava un vestito con delle bretelle che si incrociavano dietro la schiena e che mettevano in risalto le sue spalle dolci e ben squadrate.

Questa è Marta, disse Monteiro Rossi, Marta ti presento il dottor Pereira del "Lisboa", mi ha ingaggiato questa sera, da ora sono un giornalista, come vedi ho trovato lavoro. E lei disse: molto piacere, Marta. E poi, rivolta a Monteiro Rossi, gli disse: chissà perché sono venuta a una serata come questa, ma già che ci sono perché non mi fai ballare, mio tonto, che la musica è invitante e la serata magnifica?

Pereira restò solo al tavolino, sostiene, ordinò un'altra limonata e se la bevve a piccoli sorsi guardando i ragazzi che ballavano lentamente guancia a guancia. Sostiene Pereira che in quel momento pensò ancora alla sua vita passata, ai figli che non aveva mai avuto, ma su questo argomento non vuole fare ulteriori dichiarazioni. Dopo il ballo i ragazzi vennero a sedersi al tavolino e Marta, come se parlasse d'altro, disse: oggi ho comprato il "Lisboa", purtroppo non parla dell'alentejano che la polizia ha massacrato sul carretto, parla di uno yacht americano, non è una notizia interessante, credo. E Pereira, che sentì un ingiustificato senso di colpa, rispose: il direttore è in ferie, è alle terme, io mi occupo solo della pagina culturale, perché sa, il "Lisboa" dalla prossima settimana avrà una pagina culturale, la dirigo io.

Marta si tolse il cappello e lo posò sul tavolo. Dal cappello uscì una cascata di capelli castani che avevano riflessi rossi, sostiene Pereira, dimostrava qualche anno in più del suo compagno, forse ventisei o ventisette anni, e così lui le chiese: e lei cosa fa nella vita? Scrivo lettere commerciali per una ditta di import-export, rispose Marta, lavoro solo la mattina, così il pomeriggio posso leggere, passeggiare e qualche volta vedere Monteiro Rossi. Pereira sostiene che trovò strano che lei chiamasse il giovanotto Monteiro Rossi, col cognome, come se fossero solo colleghi, comunque non obiettò e cambiò discorso e disse, tanto per dire: pensavo che lei fosse della gioventù salazarista. E lei?, replicò Marta. Oh, fece Pereira, la mia gioventù se n'è andata da un pezzo, quanto alla politica, a parte che non me ne interesso molto, non mi piacciono le persone fanatiche, mi pare che il mondo sia pieno di fanatici. Bisogna distinguere tra fanatismo e fede, rispose Marta, perché si possono avere degli ideali, per esempio che gli uomini siano liberi e uguali, e anche fratelli, mi scusi, in fondo sto recitando la rivoluzione francese, lei crede nella rivoluzione francese? Teoricamente sì, rispose Pereira; e si pentì di quel teoricamente, perché avrebbe voluto dire: praticamente sì; ma aveva detto in fondo quel che pensava. E a quel punto i due vecchietti della viola e della chitarra attaccarono a suonare un valzer in fa, e Marta disse: dottor Pereira, mi piacerebbe ballare questo valzer con lei. Pereira si alzò, sostiene, le tese il braccio e la condusse fino alla pista da ballo. E ballò quel valzer quasi con trasporto, come se la sua pancia e tutta la sua carne fossero sparite per incanto. E intanto guardava il cielo sopra le lampadine colorate di Praça da Alegria, e si sentì minuscolo, confuso con l'universo. C'è un uomo grasso e attempato che balla con una giovane ragazza in una piazzetta qualsiasi dell'universo, pensò, e intanto gli astri girano, l'universo è in movimento, e forse qualcuno ci guarda da un osservatorio infinito. Poi ritornarono al loro tavolino e Pereira, sostiene, pensava: perché non ho avuto dei figli? Ordinò un'altra limonata, pensando che gli facesse bene perché quel pomeriggio, con quel caldo atroce, aveva avuto dei problemi di intestini. E intanto Marta chiacchierava come se fosse completamente a suo agio, e diceva: Monteiro Rossi mi ha parlato del suo progetto giornalistico, mi sembra una buona idea, ci sarebbero un sacco di scrittori che sarebbe l'ora che se ne andassero, per fortuna quell'insopportabile Rapagnetta che si faceva chiamare D'Annunzio se n'è andato qualche mese fa, ma anche quella beghina di Claudel, anche di lui basta, non le pare?, e certo il suo giornale, che mi sembra di tendenza cattolica, ne parlerebbe volentieri, e poi quel furfante di Marinetti, quel brutto tipo, dopo aver cantato la guerra e gli obici si è schierato con le camicie nere di Mussolini, sarebbe bene che ci lasciasse anche lui. Pereira cominciò a sudare leggermente, sostiene, e sussurrò: signorina, abbassi la voce, non so fino a che punto si rende conto del luogo in cui ci troviamo. E allora Marta si rimise il cappello e disse: beh, io di questo posto sono stufa, mi sta dando ai nervi, vedrà che fra poco cominceranno a intonare marce militari, è meglio che la lasci con Monteiro Rossi, sicuramente avrete cose da discutere, intanto io vado fino al Tago, ho bisogno di respirare aria fresca, buonanotte e arrivederci.

Sostiene Pereira che si sentì più sollevato, finì la sua limonata e fu tentato di prenderne un'altra, ma era indeciso, perché non sapeva quanto tempo Monteiro Rossi voleva ancora trattenersi. Così domandò: che ne direbbe se prendessimo un'altra bibita? Monteiro Rossi acconsentì, disse che aveva tutta la serata a disposizione e che avrebbe avuto voglia di parlare di letteratura, lui ne aveva così poche occasioni, di solito parlava di filosofia, conosceva solo gente che si occupava unicamente di filosofia. E a quel punto a Pereira venne in mente una frase che gli diceva sempre suo zio, che era un letterato fallito, e la pronunciò. Disse: la filosofia sembra che si occupi solo della verità, ma forse dice solo fantasie, e la letteratura sembra che si occupi solo di fantasie, ma forse dice la verità. Monteiro Rossi sorrise e disse che gli sembrava una bella definizione per le due discipline. Così Pereira gli domandò: e cosa ne pensa di Bernanos? Monteiro Rossi sembrò un po' disorientato, da principio, e chiese: lo scrittore cattolico? Pereira assentì con un cenno della testa e Monteiro Rossi disse a bassa voce: senta, dottor Pereira, io, come le ho detto oggi al telefono, non è che pensi molto alla morte, e non penso neanche troppo al cattolicesimo, sa, mio padre era ingegnere navale, era un uomo pratico, che credeva nel progresso e nella tecnica, mi ha dato un'educazione di questo tipo, era italiano, è vero, ma forse mi ha educato un po' all'inglese, con una visione pragmatica della realtà; la letteratura mi piace, ma forse i nostri gusti non coincidono, per lo meno per quanto riguarda certi scrittori, però io ho un gran bisogno di lavorare e sono disposto a fare i necrologi anticipati di tutti gli scrittori che lei desidera, anzi che desidera la direzione del suo giornale. Fu allora che Pereira, sostiene Pereira, ebbe un moto d'orgoglio. Trovò seccante che quel giovanotto gli facesse una lezione di etica professionale, insomma, lo trovò arrogante. E allora decise di scegliere lui un tono arrogante e rispose: io non dipendo dal mio direttore nelle mie scelte letterarie, la pagina culturale la dirigo io e io scelgo gli scrittori che mi interessano, perciò decido di affidarle il compito e le lascio campo libero, avrei voluto suggerirle Bernanos e Mauriac, perché mi piacciono, ma a questo punto non decido niente, a lei la decisione, faccia quello che le pare. Sostiene Pereira che sul momento si pentì di esporsi così tanto, di rischiare col direttore per lasciare via libera a quel giovanotto che non conosceva e che gli aveva candidamente confessato di aver copiato la sua tesi di laurea. Per un attimo si sentì intrappolato, capì che si era messo in una situazione stupida con le sue stesse mani. Ma per fortuna Monteiro Rossi riprese la conversazione e cominciò a parlare di Bernanos che apparentemente conosceva assai bene. E poi disse: Bernanos è un uomo coraggioso, non ha paura di parlare dei sotterranei della sua anima. E a quella parola, anima, Pereira si sentì riavere, sostiene, fu come se un balsamo lo avesse sollevato da una malattia e così chiese un po' stupidamente: lei crede nella resurrezione della carne? Non ci ho mai pensato, rispose Monteiro Rossi, non è un problema che mi interessa, le assicuro che non è un problema che mi interessa, potrei venire domani in redazione, le potrei anche fare un necrologio anticipato di Bernanos, ma francamente preferirei un elogio funebre di García Lorca. Certo, disse Pereira, la redazione sono io, sto in Rua Rodrigo da Fonseca numero sessantasei, vicino alla Alexandre Herculano, a due passi dalla macelleria ebraica, se trova la portiera sulle scale non si impressioni, è una megera, le dica che ha un appuntamento con il dottor Pereira, e non le parli troppo, deve essere un'informatrice della polizia.

Pereira sostiene che non sa perché disse questo, forse perché semplicemente detestava la portiera e la polizia salazarista, il fatto è che gli andò di dirlo, ma non fu per creare una complicità fittizia con quel giovanotto che ancora non conosceva: non fu per questo, il motivo esatto non lo sa, sostiene Pereira.

5

L'indomani mattina, quando Pereira si alzò, sostiene, trovò una frittata al formaggio fra due fette di pane. Erano le dieci, e la donna delle pulizie veniva alle otto. Evidentemente gliela aveva preparata perché la portasse in redazione per l'ora di pranzo, la Piedade conosceva benissimo i suoi gusti, e Pereira adorava la frittata al formaggio. Bevve una tazza di caffè, fece un bagno, indossò la giacca ma decise di non mettere la cravatta. Però se la mise in tasca. Prima di uscire si fermò davanti al ritratto di sua moglie e gli disse: ho trovato un ragazzo che si chiama Monteiro Rossi e ho deciso di assumerlo come collaboratore esterno per fargli fare i necrologi anticipati, credevo che fosse molto sveglio, invece mi pare un po' imbambolato, potrebbe avere l'età di nostro figlio, se avessimo avuto un figlio, mi assomiglia un po', gli cade una ciocca di capelli sulla fronte, ti ricordi quando anche a me cadeva una ciocca di capelli sulla fronte?, era al tempo di Coimbra, beh, non so che dirti, vedremo, oggi viene a trovarmi in redazione, ha detto che mi porta un necrologio, ha una bella ragazza che si chiama Marta e che ha i capelli color rame, però fa un po' troppo la spigliata e parla di politica, pazienza, staremo a vedere.

Prese il tram fino alla Rua Alexandre Herculano e poi risalì faticosamente a piedi fino alla Rua Rodrigo da Fonseca. Quando arrivò davanti al portone era inzuppato di sudore, perché era una giornata torrida. Nell'atrio, come al solito, trovò la portiera che gli disse: buongiorno dottor Pereira. Pereira la salutò con un cenno del capo e salì le scale. Appena entrato in redazione si mise in maniche di camicia e accese il ventilatore. Non sapeva che fare e era quasi mezzogiorno. Pensò di mangiare il suo pane e frittata, ma era ancora presto. Allora si ricordò della rubrica "Ricorrenze" e si mise a scrivere. «Tre anni or sono scompariva il grande poeta Fernando Pessoa. Era di cultura inglese, ma aveva deciso di scrivere in portoghese perché sosteneva che la sua patria era la lingua portoghese. Ci ha lasciato bellissime poesie disperse su riviste e un poemetto, *Messaggio*, che è la storia del Portogallo visto da un grande artista che amava la sua patria.» Rilesse quello che aveva scritto e lo trovò ributtante, la parola è ributtante, sostiene Pereira. Allora gettò il foglio nel cestino e scrisse: «Fernando Pessoa ci ha lasciato da tre anni. Pochi si sono accorti di lui, quasi nessuno. Ha vissuto in Portogallo come uno straniero, forse perché era straniero dappertutto. Viveva solo, in modeste pensioni o camere d'affitto. Lo ricordano gli amici, i sodali, coloro che amano la poesia».

Poi prese il pane e frittata e gli dette un morso. A quel punto sentì bussare alla porta, nascose il pane e frittata nel cassetto, si pulì la bocca con un foglio vergatino della macchina per scrivere e disse: avanti. Era Monteiro Rossi. Buongiorno dottor Pereira, disse Monteiro Rossi, mi scusi, forse sono in anticipo, ma le ho portato qualcosa, insomma, ieri sera, quando sono tornato a casa, ho avuto un'ispirazione, e poi pensavo che forse qui al giornale si poteva mangiare qualcosa. Pereira gli spiegò con pazienza che quella stanza non era il giornale, era solo una redazione culturale distaccata, e che lui, Pereira, era la redazione culturale, credeva di averglielo già detto, era solo una stanza con una scrivania e un ventilatore, perché il "Lisboa" era un piccolo giornale del pomeriggio. Monteiro Rossi si accomodò e tirò fuori un foglio piegato in quattro. Pereira lo prese e lo lesse. Impubblicabile, sostiene Pereira, era un articolo davvero impubblicabile. Descriveva la morte di García Lorca, e cominciava così: «Due anni fa, in circostanze oscure, ci ha lasciati il grande poeta spagnolo Federico García Lorca. Si pensa ai suoi avversari politici, perché è stato assassinato. Tutto il mondo si chiede ancora come sia potuta avvenire una simile barbarie».

Pereira alzò la testa dal foglio e disse: caro Monteiro Rossi, lei è un perfetto romanziere, ma il mio giornale non è il luogo adatto per scrivere romanzi, sui giornali si scrivono cose che corrispondono alla verità o che assomigliano alla verità, di uno scrittore lei non deve dire come è morto, in quali circostanze e perché, deve dire semplicemente che è morto e poi deve parlare della sua opera, dei romanzi e delle poesie, e fare sì un necrologio, ma in fondo deve fare una critica, un ritratto dell'uomo e dell'opera, quello che lei ha scritto è perfettamente inutilizzabile, la morte di García Lorca è ancora misteriosa, e se le cose non fossero andate così?

Monteiro Rossi obiettò che Pereira non aveva finito di leggere l'articolo, più avanti parlava dell'opera, della figura, della statura dell'uomo e dell'artista. Pereira, pazientemente, andò avanti nella lettura. Pericoloso, sostiene, l'articolo era pericoloso. Parlava della profonda Spagna, della cattolicissima Spagna che García Lorca aveva preso come obiettivo per i suoi strali nella *Casa di Bernarda Alba*, parlava della "Barraca", il teatro ambulante che García Lorca aveva portato al popolo. E qui c'era tutto un elogio del popolo spagnolo, che aveva sete di cultura e di teatro, e che García Lorca aveva soddisfatto. Pereira alzò la testa dall'articolo, sostiene, si ravviò i capelli, si rimboccò le maniche della camicia e disse: caro Monteiro Rossi, mi permetta di essere franco con lei, il suo articolo è impubblicabile, davvero impubblicabile. Io non posso pubblicarlo, ma nessun giornale portoghese potrebbe pubblicarlo, e nemmeno un giornale italiano, visto che l'Italia è il suo paese di origine, ci sono due ipotesi: o lei è un incosciente o lei è un provocatore, e il giornalismo che si fa oggigiorno in Portogallo non prevede né incoscienti né provocatori, e questo è tutto.

Sostiene Pereira che mentre diceva questo sentiva un filo di sudore che gli colava lungo la schiena. Perché cominciò a sudare? Chissà. Questo non sa dirlo con esattezza. Forse perché faceva un gran caldo, questo è fuori di dubbio, e il ventilatore non era sufficiente a rinfrescare quella stanza angusta. Ma anche perché, forse, gli faceva pena quel giovanotto che lo guardava con aria imbambolata e delusa e che aveva preso a rosicchiarsi un'unghia mentre lui parlava. Così che non ebbe il coraggio di dire: pazienza, era una prova ma non ha funzionato, arrivederci. Invece restò a guardare Monteiro Rossi con le braccia incrociate e Monteiro Rossi disse: lo riscrivo, per domani lo riscrivo. Eh no, trovò la forza di dire Pereira, niente García Lorca, per favore, ci sono troppi aspetti della sua vita e della sua morte che non si addicono a un giornale come il "Lisboa", non so se lei si rende conto, caro Monteiro Rossi, che in questo momento in Spagna c'è una guerra civile, che le autorità portoghesi la pensano come il generale Francisco Franco e che García Lorca era un sovversivo, questa è la parola: sovversivo.

Monteiro Rossi si alzò come se avesse avuto paura di quella parola, indietreggiò fino alla porta, si fermò, avanzò di un passo e poi disse: ma io credevo di avere trovato un lavoro. Pereira non rispose e sentì che un filo di sudore gli colava lungo la schiena. E allora che devo fare?, sussurrò Monteiro Rossi con una voce che sembrava implorante. Pereira si alzò a sua volta, sostiene, e andò a collocarsi di fronte al ventilatore. Restò in silenzio per qualche minuto lasciando che l'aria fresca gli asciugasse la camicia. Deve farmi un necrologio di Mauriac, rispose, o di Bernanos, a sua scelta, non so se mi faccio capire. Ma io ho lavorato tutta la notte, balbettò Monteiro Rossi, mi aspettavo di esser pagato, in fondo non è che chieda molto, era solo per potere pranzare oggi. Pereira avrebbe voluto dirgli che la sera precedente gli aveva già anticipato i soldi per comprarsi un paio di pantaloni nuovi, e che evidentemente non poteva passare la giornata a dargli soldi, perché non era suo padre. Avrebbe voluto essere fermo e duro. E invece disse: se il suo problema è il pranzo di oggi, ebbene, posso invitarla a pranzo, anch'io non ho pranzato e ho un certo appetito, mi andrebbe di mangiare un bel pesce alla griglia o una scaloppa impanata, lei che ne dice?

Perché Pereira disse così? Perché era solo e quella stanza lo angosciava, perché aveva veramente fame, perché pensò al ritratto di sua moglie, o per qualche altra ragione? Questo non saprebbe dirlo, sostiene Pereira.

6

Eppure Pereira lo invitò a pranzo, sostiene, e scelse un ristorante del Rossio. Gli parve una scelta adatta a loro, perché in fondo erano due intellettuali, e quello era il caffè e il ristorante dei letterati, negli anni venti era stato una gloria, ai suoi tavolini si erano fatte le riviste di avanguardia, insomma, ci andavano tutti, e forse qualcuno ci andava ancora.

Discesero in silenzio l'Avenida da Liberdade e arrivarono al Rossio. Pereira scelse un tavolino all'interno, perché fuori, sotto la tenda, faceva troppo caldo. Si guardò intorno, ma non vide nessun letterato, sostiene. I letterati sono tutti in ferie, disse per rompere il silenzio, forse sono in vacanza, chi al mare e chi in campagna, in città siamo restati solo noi. Forse stanno semplicemente in casa loro, rispose Monteiro Rossi, non devono avere molta voglia di andare in giro, con i tempi che corrono. Pereira sentì una certa malinconia, sostiene, pensando a quella frase. Capì che erano soli, che non c'era nessuno in giro col quale potessero condividere la loro angustia, nel ristorante c'erano due signore con il cappellino e quattro uomini dall'aria sinistra in un canto. Pereira scelse un tavolo isolato, si sistemò il tovagliolo nel colletto della camicia, come faceva sempre, e ordinò del vino bianco. Ho voglia di prendere un aperitivo, spiegò a Monteiro Rossi, di solito non bevo alcolici, ma ora ho bisogno di un aperitivo. Monteiro Rossi ordinò una birra alla spina e Pereira gli chiese se non gli piacesse il vino bianco. Preferisco la birra, rispose Monteiro Rossi, è più fresca e più leggera, e poi di vini non me ne intendo. Peccato, sussurrò Pereira, se vuole diventare un buon critico deve raffinare i suoi gusti, deve coltivarsi, deve imparare a conoscere i vini, i cibi, il mondo. E poi aggiunse: e la letteratura. E a quel punto Monteiro Rossi bisbigliò: avrei una cosa da confessarle ma non ho il coraggio. Me la dica pure, disse Pereira, farò finta di non avere capito. Più tardi, disse Monteiro Rossi.

Pereira ordinò un'orata ai ferri, sostiene, e Monteiro Rossi un gazpacho e poi riso ai frutti di mare. Il riso arrivò in un'enorme terrina di terracotta e Monteiro Rossi ne mangiò per tre volte, sostiene Pereira, se lo finì tutto, e era una porzione enorme. E poi si ravviò la ciocca di capelli sulla fronte e disse: io mangerei un gelato o anche semplicemente un sorbetto al limone. Pereira calcolò mentalmente quanto gli sarebbe costato quel pranzo e arrivò alla conclusione che una buona parte del suo stipendio settimanale se ne andava a quel ristorante dove aveva pensato di trovare i letterati di Lisbona e dove invece c'erano due vecchiette con il cappellino e quattro figuri sinistri a un tavolo d'angolo. Ricominciò a sudare e si tolse il tovagliolo dal colletto della camicia, ordinò acqua minerale gelata e un caffè, poi fissò Monteiro Rossi negli occhi e disse: e ora mi confessi quello che voleva confessarmi prima di mangiare. Sostiene Pereira che Monteiro Rossi si mise a guardare il soffitto, poi lo guardò e schivò il suo sguardo, poi tossicchiò e arrossì come un bambino e rispose: mi sento un po' imbarazzato, mi scusi. Non c'è niente di cui vergognarsi a questo mondo, disse Pereira, se non si è rubato e se non si è disonorato il padre e la madre. Monteiro Rossi si asciugò la bocca col tovagliolo come se volesse impedire alle parole di uscire, si ravviò la ciocca di capelli sulla fronte e disse: non so come dire, lo so che lei esige professionalità, che io dovrei pensare col cervello, ma il fatto è che ho preferito seguire altre ragioni. Si spieghi meglio, lo incalzò Pereira. Beh, balbettò Monteiro Rossi, beh, la verità è che, la verità è che ho seguito le ragioni del cuore, forse non avrei dovuto, forse non avrei nemmeno voluto, ma è stato più forte di me, le giuro che sarei stato capace di scrivere un necrologio su García Lorca con le ragioni dell'intelligenza, ma è stato più forte di me. Si asciugò di nuovo la bocca col tovagliolo e aggiunse: e poi sono innamorato di Marta. E questo cosa c'entra?, obiettò Pereira. Non so, rispose Monteiro Rossi, forse non c'entra, ma anche questa è una ragione del cuore, non le pare?, a suo modo anche questo è un problema. Il problema è che lei non dovrebbe mettersi in problemi più grandi di lei, avrebbe voluto rispondere Pereira. Il problema è che il mondo è un problema e certo non saremo noi a risolverlo, avrebbe voluto dire Pereira. Il problema è che lei è giovane, troppo giovane, potrebbe essere mio figlio, avrebbe voluto dire Pereira, ma non mi piace che lei mi prenda per suo padre, io non sono qui per risolvere le sue contraddizioni. Il problema è che fra noi ci deve essere un rapporto corretto e professionale, avrebbe voluto dire Pereira, e lei deve imparare a scrivere, altrimenti, se scrive con le ragioni del cuore, lei andrà incontro a grandi complicazioni, glielo posso assicurare.

Ma non disse niente di tutto questo. Accese un sigaro, si asciugò col tovagliolo il sudore che gli colava sulla fronte, si sbottonò il primo bottone della camicia e disse: le ragioni del cuore sono le più importanti, bisogna sempre seguire le ragioni del cuore, questo i dieci comandamenti non lo dicono, ma glielo dico io, comunque bisogna stare con gli occhi aperti, nonostante tutto, cuore, sì, sono d'accordo, ma anche occhi bene aperti, caro Monteiro Rossi, e con questo il nostro pranzo è finito, nei prossimi tre o quattro giorni non mi telefoni, le lascio tutto il tempo per riflettere e per fare una

45

cosa per bene, ma proprio per bene, mi chiami sabato prossimo in redazione, verso mezzogiorno.

Pereira si alzò e gli tese la mano dicendogli arrivederci. Perché gli disse quelle cose mentre avrebbe voluto dirgli tutt'altro, mentre avrebbe voluto rimproverarlo, magari licenziarlo? Pereira non sa dirlo. Forse perché il ristorante era deserto, perché non aveva visto nessun letterato, perché si sentiva solo in quella città e aveva bisogno di un complice e di un amico? Forse per queste ragioni e per altre ancora che non saprebbe spiegare. È difficile avere una convinzione precisa quando si parla delle ragioni del cuore, sostiene Pereira.

7

Il venerdì seguente, quando arrivò in redazione con il suo pacchetto con pane e frittata, Pereira vide, sostiene, una busta che faceva capolino dalla cassetta delle lettere del "Lisboa". La prese e se la mise in tasca. Sul pianerottolo del primo piano trovò la portiera che gli disse: buongiorno dottor Pereira, c'è una lettera per lei, è un espresso, l'ha portata il postino alle nove, ho dovuto firmare io. Pereira borbottò un grazie fra i denti e continuò a salire le scale. Mi sono presa questa responsabilità, continuò la portiera, ma non vorrei avere seccature, visto che non c'è il mittente. Pereira ridiscese tre scalini, sostiene, e la guardò in viso. Senta, Celeste, disse Pereira, lei è la portiera e tanto mi basta, lei è pagata per fare la portiera e riceve uno stipendio dagli inquilini di questo palazzo, fra questi inquilini c'è anche il mio giornale, ma lei ha il difetto di ficcare il naso nelle cose che non la riguardano, dunque, la prossima volta che arriva un espresso per me, lei non lo firmi e non lo guardi, dica al postino di ripassare più tardi e di consegnarmelo personalmente. La portiera poggiò al muro la scopa con cui stava pulendo il pianerottolo e mise le mani sui fianchi. Dottor Pereira, disse, lei crede di parlarmi in questo modo perché io sono una semplice portiera, ma sappia che ho amicizie altolocate, persone che mi possono proteggere dalla sua maleducazione. Lo suppongo, anzi lo so, sostiene di aver detto Pereira, è proprio questo che non mi piace, e ora arrivederci.

Quando aprì la porta della sua stanza Pereira si sentiva spossato e era in un bagno di sudore. Accese il ventilatore e si sedette alla sua scrivania. Depositò il pane e frittata su un foglio della macchina per scrivere e prese la lettera di tasca. Sulla busta c'era scritto: Dottor Pereira, "Lisboa", Rua Rodrigo da Fonseca 66, Lisbona. Era una calligrafia elegante a inchiostro azzurro. Pereira posò la lettera accanto alla frittata e accese un sigaro. Il cardiologo gli aveva proibito di fumare, ma ora aveva voglia di tirare due boccate, magari poi l'avrebbe spento. Pensò che avrebbe aperto la lettera più tardi, perché per il momento doveva organizzare la pagina culturale per l'indomani. Pensò di rivedere l'articolo per la rubrica "Ricorrenze" che aveva scritto su Pessoa, ma poi decise che andava bene così. Allora si mise a leggere il racconto di Maupassant che aveva tradotto lui stesso, per vedere se c'erano correzioni da fare. Non ne trovò. Il racconto era perfetto e Pereira si congratulò con se stesso. Questo lo fece sentire un po' meglio, sostiene. Poi tirò fuori dalla tasca della giacca un ritratto di Maupassant che aveva trovato in una rivista della biblioteca municipale. Era un ritratto a matita, fatto da un pittore francese sconosciuto. Maupassant aveva un'aria disperata, con la barba incolta e gli occhi persi nel vuoto, e Pereira pensò che era perfetto per accompagnare il racconto. Del resto era un racconto di amore e di morte, ci voleva un ritratto che pendesse verso il tragico. C'era bisogno di una finestrina in mezzo all'articolo, con le basiche notizie biografiche di Maupassant. Pereira aprì il Larousse che teneva sulla scrivania e si mise a copiare. Scrisse: «Guy de Maupassant, 1850-1893. Con il fratello Hervé ereditò dal padre una malattia di origine venerea, che lo condusse prima alla pazzia e poi, giovane, alla morte. Partecipò a vent'anni alla guerra franco-prussiana, lavorò presso il ministero della marina. Scrittore di talento, di visione satirica, descrisse nelle sue novelle le debolezze e la vigliaccheria di una certa società francese. Scrisse anche romanzi di grande successo come *Bel-Ami* e il romanzo fantastico *Le Horla*. Colto da crisi di follia fu ricoverato nella clinica del dottor Blanche, dove morì povero e derelitto».

Poi prese il pane e frittata e gli dette tre o quattro morsi. Il resto lo buttò nel cestino perché non aveva fame, faceva troppo caldo, sostiene. A quel punto aprì la lettera. Era un articolo scritto a macchina, su carta velina, e il titolo diceva: *È scomparso Filippo Tommaso Marinetti*. Pereira sentì un tuffo al cuore perché senza guardare nell'altra pagina capì che chi scriveva era Monteiro Rossi e perché capì subito che quell'articolo non serviva a niente, era un articolo inutile, lui avrebbe voluto un necrologio di Bernanos o di Mauriac, che probabilmente credevano nella resurrezione della carne, ma quello era un necrologio di Filippo Tommaso Marinetti, che credeva nella guerra, e Pereira si mise a leggerlo. Era proprio un articolo da cestinare, ma Pereira non lo cestinò, chissà perché lo conservò, ed è per questo che può produrlo come documento. Cominciava così: «Con Marinetti scompare un violento, perché la violenza era la sua musa. Aveva cominciato nel 1909 con la pubblicazione di un *Manifesto Futurista* su un giornale di Parigi, manifesto in cui esaltava i miti della guerra e della violenza. Nemico della democrazia, bellicoso e bellicista, esaltò poi la guerra in uno strambo poemetto intitolato *Zang Tumb Tumb*, una descrizione fonica della guerra d'Africa del colonialismo italiano. E la sua fede colonialista lo portò a esaltare l'impresa libica italiana. Scrisse fra l'altro un manifesto ributtante: *Guerra sola igiene del mondo*. Le fotografie ci mostrano un uomo con pose arroganti, i baffi arricciati e la casacca da accademico piena di medaglie. Il fascismo italiano gliene ha conferite molte, perché Marinetti ne è stato un accanito sostenitore. Con lui scompare un losco personaggio, un guerrafondaio...».

Pereira smise di leggere la parte battuta a macchina e passò alla lettera, perché l'articolo era accompagnato da una lettera scritta a mano. Diceva: «Egregio dottor Pereira, ho seguito le ragioni del cuore, ma non è colpa mia. Del resto lei stesso mi ha detto che le ragioni del cuore sono le più importanti. Non so se è un necrologio pubblicabile, e poi magari Marinetti camperà altri vent'anni, chissà. A ogni modo, se volesse mandarmi qualcosa gliene sarei grato. Io per ora non posso passare in redazione, per ragioni che non le sto a spiegare. Se vuole mandarmi una piccola somma a sua discrezione può infilarla in una busta a mio nome e indirizzarla alla casella postale 202, Posta Centrale, Lisbona. Io mi farò vivo per telefono. I migliori saluti e auguri dal suo Monteiro Rossi».

Pereira infilò il necrologio e la lettera in una cartellina dell'archivio e sulla cartella scrisse: *Necrologi*. Poi indossò la giacca, numerò le pagine del racconto di Maupassant, raccolse i suoi fogli dal tavolo e uscì per portare il materiale in tipografia. Sudava, si sentiva a disagio e sperava di non incontrare la portiera sulle scale, sostiene.

8

Quel sabato mattina, a mezzogiorno in punto, sostiene Pereira, il telefono squillò. Quel giorno Pereira non si era portato in redazione il suo pane e frittata, da una parte perché tentava di saltare ogni tanto un pasto come gli aveva consigliato il cardiologo, d'altra parte perché, se non avesse resistito alla fame, avrebbe sempre potuto mangiare un'omelette al Café Orquídea.

Buongiorno dottor Pereira, disse la voce di Monteiro Rossi, sono Monteiro Rossi. Aspettavo la sua telefonata, disse Pereira, dove si trova? Sono fuori città, disse Monteiro Rossi. Scusi, insistette Pereira, fuori città ma dove? Fuori città, rispose Monteiro Rossi. Pereira sentì una leggera irritazione, sostiene, per quella maniera di parlare così cautelosa e formale. Avrebbe desiderato da Monteiro Rossi una maggiore cordialità e anche una maggiore gratitudine, ma contenne la sua irritazione e disse: le ho mandato del denaro alla sua casella postale. Grazie, disse Monteiro Rossi, passerò a ritirarlo. E non disse altro. Allora Pereira gli chiese: quando ha intenzione di venire in redazione?, forse sarebbe opportuno parlare direttamente. Non so quando mi sarà possibile passare da lei, replicò Monteiro Rossi, per la verità le stavo giusto scrivendo un biglietto per fissare un appuntamento in un posto qualsiasi, ma non in redazione, possibilmente. Fu allora che a Pereira parve di capire che c'era qualcosa che non andava, sostiene, e abbassando la voce, come se qualcun altro oltre a Monteiro Rossi potesse udirlo, chiese: ha dei problemi? Monteiro Rossi non rispose e Pereira pensò che non avesse capito. Ha dei problemi?, ripeté Pereira. In qualche modo sì, disse la voce di Monteiro Rossi, ma non è il caso di parlarne per telefono, ora le scrivo un biglietto per fissare un appuntamento per metà settimana, in effetti ho bisogno di lei, dottor Pereira, del suo aiuto, ma questo glielo dirò a voce, e ora mi scusi, sto telefonando da un luogo scomodo e devo riattaccare, abbia pazienza, dottor Pereira, ne parleremo a voce, arrivederla.

Il telefono fece clic e Pereira riattaccò a sua volta. Si sentiva inquieto, sostiene. Meditò sul da farsi e prese le sue decisioni. Intanto sarebbe andato a prendere una limonata al Café Orquídea e poi si sarebbe trattenuto per mangiare un'omelette. Poi, nel pomeriggio, avrebbe preso un treno per Coimbra e avrebbe raggiunto le terme di Buçaco. Certo avrebbe incontrato il suo direttore, questo era inevitabile, e Pereira non aveva nessuna voglia di parlare con lui, ma avrebbe avuto una buona scusa per non stare in sua compagnia, perché alle terme c'era il suo amico Silva che stava facendo le vacanze e che lo aveva invitato ripetutamente. Silva era un suo antico compagno di corso a Coimbra, ora insegnava letteratura all'università di quella città, era un uomo colto, sensato, tranquillo e scapolo, sarebbe stato un piacere passare due o tre giorni con lui. E poi avrebbe bevuto quell'acqua benefica delle terme, avrebbe passeggiato nel parco e forse avrebbe fatto qualche inalazione, perché la sua respirazione era penosa, specie quando saliva le scale doveva respirare a bocca aperta.

Lasciò un biglietto attaccato alla porta: «Tornerò a metà settimana, Pereira». Per fortuna non incontrò la portiera sulle scale e questo lo confortò. Uscì nella luce abbagliante del mezzogiorno e si diresse verso il Café Orquídea. Quando passò davanti alla macelleria ebraica vide un capannello di gente e si fermò. Notò che la vetrina era in frantumi e che la facciata era imbrattata di scritte che il macellaio stava cancellando con vernice bianca. Forò il capannello di gente e si avvicinò al macellaio, lo conosceva bene, il giovane Mayer, aveva conosciuto bene suo padre con il quale spesso andava a bere una limonata ai caffè del lungofiume. Poi il vecchio Mayer era morto e aveva lasciato la macelleria a suo figlio David, un giovanottone corpulento con una pancia prominente nonostante la giovane età, e l'aria gioviale. David, chiese Pereira avvicinandosi, cosa è successo? Lo vede da sé, dottor Pereira, rispose David asciugandosi al grembiule di macellaio le mani sporche di tinta, viviamo in un mondo di teppisti, sono stati i teppisti. Ha chiamato la polizia?, chiese Pereira. Figuriamoci, fece David, figuriamoci. E ricominciò a cancellare le scritte con la tinta bianca. Pereira si diresse al Café Orquídea e si sistemò all'interno, davanti al ventilatore. Ordinò una limonata e si tolse la giacca. Ha sentito cosa succede, dottor Pereira?, disse Manuel. Pereira sgranò gli occhi e interloquì: la macelleria ebraica? Macché macelleria ebraica, rispose Manuel andandosene, ce n'è di peggio.

Pereira ordinò un'omelette alle erbe aromatiche e la mangiò con calma. Il "Lisboa" sarebbe uscito solo alle diciassette, ma lui non avrebbe avuto il tempo di leggerlo perché si sarebbe trovato sul treno per Coimbra. Magari poteva farsi portare un giornale del mattino, ma dubitava che i giornali portoghesi riportassero l'avvenimento a cui si riferiva il cameriere. Semplicemente le voci correvano, andavano di bocca in bocca, per essere informati bisognava chiedere nei caffè, ascoltare le chiacchiere, era l'unica maniera per essere al corrente, oppure comprare qualche giornale straniero in una rivendita di Rua do Ouro, ma i giornali stranieri, quando arrivavano, arrivavano con tre o quattro giorni di ritardo, era inutile cercare un giornale straniero, la cosa migliore era domandare. Ma Pereira non aveva voglia di domandare niente a nessuno, voleva andarsene semplicemente alle terme, godersi qualche giorno di tranquillità, parlare con il professor Silva amico suo e non pensare al male del mondo. Ordinò un'altra limonata, si fece portare il conto, uscì, si diresse alla posta centrale e fece due telegrammi, uno all'albergo delle terme per prenotare una camera e uno al suo amico Silva. «Arrivo a Coimbra con il treno della sera. Stop. Se puoi venirmi a prendere in macchina te ne sarei grato. Stop. Un abbraccio Pereira.»

Poi si diresse a casa sua per preparare la valigia. Pensò che il biglietto lo avrebbe fatto direttamente in stazione, tanto c'era tutto il tempo, sostiene.

9

Quando Pereira arrivò alla stazione di Coimbra sulla città c'era un tramonto magnifico, sostiene. Si guardò intorno sul binario ma non vide il suo amico Silva. Pensò che il telegramma non fosse arrivato oppure che Silva avesse già abbandonato le terme. Invece, quando entrò nell'atrio della stazione, vide Silva seduto su una panchina che fumava una sigaretta. Si sentì emozionato e gli andò incontro. Era già un po' di tempo che non lo vedeva. Silva lo abbracciò e gli prese la valigia. Uscirono e si diressero alla macchina. Silva aveva una Chevrolet nera con le cromature scintillanti, comoda e spaziosa.

La strada per le terme attraversava una fila di colline piene di vegetazione e era tutta curve. Pereira aprì il finestrino perché cominciò a sentire un po' di nausea, e l'aria fresca gli fece bene, sostiene. Durante il tragitto parlarono poco. Come te la passi?, gli chiese Silva. Così così, rispose Pereira. Vivi solo?, gli chiese Silva. Vivo solo, rispose Pereira. Secondo me ti fa male, disse Silva, dovresti trovarti una donna che ti facesse compagnia e che ti rallegrasse la vita, capisco che tu sia molto legato al ricordo di tua moglie, ma non puoi passare il resto della tua vita coltivando memorie. Sono vecchio, rispose Pereira, sono troppo grasso e soffro di cuore. Non sei affatto vecchio, disse Silva, hai la mia età, e quanto al resto potresti fare una dieta, concederti delle vacanze, pensare di più alla tua salute. Beh, disse Pereira.

Pereira sostiene che l'albergo delle terme era splendido, un edificio bianco, una villa immersa in un grande parco. Salì in camera sua e si cambiò di abito. Indossò un vestito chiaro e una cravatta nera. Silva lo aspettava nella hall sorseggiando un aperitivo. Pereira gli chiese se aveva visto il suo direttore. Silva gli strizzò l'occhio. Cena sempre con una signora bionda di mezza età, rispose, una cliente dell'albergo, pare che abbia trovato compagnia. Meglio così, disse Pereira, questo mi esime da conversazioni formali.

Entrarono nel ristorante. Era una sala ottocentesca, affrescata con festoni di fiori sul soffitto. Il direttore stava cenando a un tavolo centrale in compagnia di una signora in abito da sera. Il direttore alzò la testa e lo vide, sul suo viso si dipinse un'espressione meravigliata e con una mano gli fece cenno di avvicinarsi. Pereira si avvicinò mentre Silva raggiungeva un altro tavolo. Buonasera dottor Pereira, disse il direttore, non mi aspettavo di vederla qui, ha abbandonato la redazione? La pagina culturale è uscita oggi, disse Pereira, non so se ha ancora potuto vederla perché il giornale forse non è arrivato a Coimbra, c'era un racconto di Maupassant e una rubrica di cui mi sono fatto carico intitolata "Ricorrenze", a ogni modo mi trattengo solo un paio di giorni, mercoledì sarò di nuovo a Lisbona per preparare la pagina culturale del prossimo sabato. Signora, mi scusi, disse il direttore rivolto alla sua commensale, le presento il dottor Pereira, un mio collaboratore. E poi aggiunse: la signora Maria do Vale Santares. Pereira fece un inchino con la testa. Signor direttore, disse, volevo comunicarle una cosa, se lei non ha niente in contrario avrei deciso di assumere un praticante che mi dia una mano giusto per fare i necrologi anticipati dei grandi scrittori che possono morire da un momento all'altro. Dottor Pereira, esclamò il direttore, sto qui cenando in compagnia di una gentile e sensibile signora con cui stavo intrattenendo una conversazione di cose *amusantes* e lei mi viene a parlare di persone in procinto di morire, mi pare poco fine da parte sua. Scusi, signor direttore, sostiene di aver detto Pereira, non volevo fare una conversazione professionale, ma nelle pagine culturali bisogna anche prevedere che scompaia qualche grande artista, e se costui scompare all'improvviso è un problema fare un necrologio da un giorno all'altro, del resto lei si ricorda che, tre anni fa, quando scomparve T.E. Lawrence nessun giornale portoghese ne parlò in tempo, fecero tutti il necrologio una settimana più tardi, e se vogliamo essere un giornale moderno bisogna essere tempestivi. Il direttore masticò lentamente il boccone che aveva in bocca e disse: va bene, va bene, dottor Pereira, del resto le ho lasciato pieni poteri per la pagina culturale, vorrei solo sapere se il praticante ci costa molto e se è una persona di fiducia. Se è per questo, rispose Pereira, mi sembra una persona che si accontenta di poco, è un giovane modesto, e poi si è laureato con una tesi sulla morte all'università di Lisbona, di morte se ne intende. Il direttore fece un gesto perentorio con la mano, bevve un sorso di vino e disse: senta, dottor Pereira, non ci parli più di morte per favore, altrimenti ci rovina la cena, quanto alla pagina culturale faccia pure di testa sua, di lei mi fido, ha fatto il cronista per trent'anni, e ora buonasera e buon appetito.

Pereira si diresse al suo tavolo e si sedette di fronte al suo compagno. Silva gli domandò se voleva un bicchiere di vino bianco e lui fece cenno di no con la testa. Chiamò il cameriere e ordinò una limonata. Il vino non mi fa bene, spiegò, me lo ha detto il cardiologo. Silva ordinò una trota con le mandorle e Pereira un filetto di carne alla Strogonoff, con un uovo in camicia sopra. Cominciarono a mangiare in silenzio, poi, a un certo punto, Pereira chiese a Silva cosa ne pensava di tutto questo. Tutto questo cosa?, chiese Silva. Tutto, disse Pereira, quello che sta succedendo in Europa. Oh, non ti preoccupare, replicò Silva, qui non siamo in Europa, siamo in Portogallo. Pereira sostiene di avere insistito: sì, aggiunse, ma tu leggi i giornali e ascolti la radio, lo sai cosa sta succedendo in Germania e in Italia, sono fanatici, vogliono mettere il mondo a ferro e fuoco. Non ti preoccupare, rispose Silva, sono lontani. D'accordo, riprese Pereira, ma la Spagna non è lontana, è a due passi, e tu sai cosa succede in Spagna, è una carneficina, eppure c'era un governo costituzionale, tutto per colpa di un generale bigotto. Anche la Spagna è lontana, disse Silva, noi siamo in Portogallo. Sarà, disse Pereira, ma anche qui le cose non vanno bene, la polizia la fa da padrona, ammazza la gente, ci sono perquisizioni, censure, questo è uno stato autoritario, la gente non conta niente, l'opinione pubblica non conta niente. Silva lo guardò e posò la forchetta. Stai bene a sentire, Pereira, disse Silva, tu credi ancora nell'opinione pubblica?, ebbene, l'opinione pubblica è un trucco che hanno inventato gli anglosassoni, gli inglesi e gli americani, sono loro che ci stanno smerdando, scusa la parola, con questa idea dell'opinione pubblica, noi non abbiamo mai avuto il loro sistema politico, non abbiamo le loro tradizioni, non sappiamo cosa sono le *trade unions*, noi siamo gente del Sud, Pereira, e ubbidiamo a chi grida di più, a chi comanda. Noi non siamo gente del Sud, obiettò Pereira, abbiamo sangue celta. Ma viviamo nel Sud, disse Silva, il clima non favorisce le nostre idee politiche, *laissez faire, laissez passer*, è così che siamo fatti, e poi senti, ti dico una cosa, io insegno letteratura e di letteratura me ne intendo, sto facendo un'edizione critica dei nostri trovatori, le canzoni d'amico, non so se te ne ricordi all'università, ebbene, i giovani partivano per la guerra e le donne restavano a casa a piangere, e i trovatori raccoglievano i loro lamenti, comandava il re, capisci?, comandava il capo, e noi abbiamo sempre avuto bisogno di un capo, ancora oggi abbiamo bisogno di un capo. Però io faccio il giornalista, replicò Pereira. E allora?, disse Silva. Allora devo essere libero, disse Pereira, e informare la gente in maniera corretta. Non vedo il nesso, disse Silva, tu non scrivi articoli di politica, ti occupi della pagina culturale. Pereira a sua volta posò la forchetta e mise i gomiti sul tavolo. Sei tu che devi starmi bene a sentire, replicò, immagina che domani muoia Marinetti, lo hai presente Marinetti? Vagamente, disse Silva. Ebbene, disse Pereira, Marinetti è una carogna, ha cominciato col cantare la guerra, ha fatto apologia delle carneficine, è un terrorista, ha salutato la marcia su Roma, Marinetti è una carogna e bisogna che io lo dica. Vai in Inghilterra, disse Silva, là potrai dirlo quanto ti pare, avrai un sacco di lettori. Pereira finì l'ultimo boccone del suo filetto. Vado a letto, disse, l'Inghilterra è troppo lontana. Non prendi un dessert?, chiese Silva, a me andrebbe una fetta di torta. I dolci mi fanno male, disse Pereira, me lo ha detto il cardiologo, è poi sono stanco del viaggio, grazie di essermi venuto a prendere alla stazione, buonanotte e a domani.

Pereira si alzò e se ne andò senza dire altre parole. Si sentiva molto stanco, sostiene.

10

L'indomani Pereira si svegliò alle sei. Sostiene che prese un caffè semplice, insistendo per averlo perché il servizio in camera cominciava solo alle sette, e fece una passeggiata nel parco. Anche le terme aprivano alle sette, e alle sette in punto Pereira era davanti ai cancelli. Silva non c'era, il direttore non c'era, non c'era praticamente nessuno e Pereira si sentì sollevato, sostiene. Per prima cosa bevve due bicchieri d'acqua che sapeva di uova marce e provò una vaga nausea e un rimescolamento nell'intestino. Avrebbe desiderato una bella limonata fresca, perché nonostante l'ora mattutina faceva un certo caldo, ma pensò che non poteva mescolare acqua termale e limonata. Allora si recò alle installazioni termali dove lo fecero spogliare e indossare un accappatoio bianco. Vuole bagni di fango o inalazioni?, gli chiese l'impiegata. Tutte e due, rispose Pereira. Lo fecero accomodare in una stanza dove c'era una vasca da bagno di marmo piena di un liquido marrone. Pereira si tolse l'accappatoio e vi si immerse. Il fango era tiepido e dava una sensazione di benessere. A un certo punto entrò un inserviente e gli chiese dove doveva massaggiarlo. Pereira rispose che non voleva massaggi, voleva solo il bagno, e desiderava di essere lasciato in pace. Uscì dalla vasca, fece una doccia fresca, indossò di nuovo il suo accappatoio e passò nelle sale vicine, dove c'erano i getti di vapore per le inalazioni. Davanti a ogni getto stavano sedute delle persone, con i gomiti appoggiati sul marmo, che respiravano i flussi di aria calda. Pereira trovò un posto libero e si accomodò. Respirò a fondo per qualche minuto e si immerse nei suoi pensieri. Gli venne in mente Monteiro Rossi e, chissà perché, anche il ritratto di sua moglie. Erano quasi due giorni che non parlava con il ritratto di sua moglie, e Pereira si pentì di non esserselo portato dietro, sostiene. Allora si alzò, andò negli spogliatoi, si rivestì, fece il nodo della cravatta nera, uscì dallo stabilimento termale e rientrò in albergo. Nella sala ristorante vide il suo amico Silva che faceva un'abbondante colazione con brioche e caffellatte. Il direttore fortunatamente non c'era. Pereira si avvicinò a Silva, lo salutò, gli disse che aveva fatto le terme e gli disse: verso mezzogiorno c'è un treno per Lisbona, ti sarei grato se tu mi accompagnassi alla stazione, se non puoi prendo il taxi dell'albergo. Come, te ne vai già?, chiese Silva, e io che speravo di passare un paio di giorni in tua compagnia. Scusami, mentì Pereira, ma devo essere a Lisbona stasera, domani devo scrivere un articolo importante, e poi sai, non mi va di avere abbandonato la redazione alla portiera dello stabile, è meglio che me ne vada. Come vuoi, rispose Silva, ti accompagno.

Durante il tragitto non parlarono affatto. Sostiene Pereira che Silva sembrava avercela con lui, ma lui non fece niente per addolcire la situazione. Pazienza, pensò, pazienza. Arrivarono alla stazione verso le undici e un quarto e il treno era già sul binario. Pereira salì e fece ciao con la mano dal finestrino. Silva lo salutò con un ampio cenno del braccio e se ne andò, Pereira si accomodò in uno scompartimento dove c'era una signora che leggeva un libro.

Era una signora bella, bionda, elegante, con una gamba di legno. Pereira si accomodò dalla parte del corridoio, visto che lei stava al finestrino, per non disturbarla, e notò che stava leggendo un libro di Thomas Mann in tedesco. Questo lo incuriosì, ma per il momento non disse niente, disse soltanto: buongiorno signora. Il treno si mosse alle undici e trenta, e pochi minuti dopo passò l'inserviente per fare le prenotazioni per il vagone ristorante. Pereira prenotò, sostiene, perché si sentiva lo stomaco in disordine e aveva bisogno di mangiare qualcosa. Il tragitto non era lungo, è vero, ma sarebbe arrivato tardi a Lisbona e non aveva voglia di cercarsi un ristorante, con quel caldo.

Anche la signora con la gamba di legno prenotò per il vagone ristorante. Pereira notò che parlava un buon portoghese, con un lieve accento straniero. Questo aumentò la sua curiosità, sostiene, e gli dette il coraggio di fare il suo invito. Signora, disse, mi scusi, non vorrei sembrarle invadente, ma visto che siamo compagni di viaggio e che entrambi abbiamo prenotato il ristorante vorrei proporle di mangiare allo stesso tavolo, potremmo fare un po' di conversazione e forse ci sentiremo meno soli, è malinconico mangiare da soli, specialmente in treno, permetta che mi presenti, sono il dottor Pereira, direttore della pagina culturale del "Lisboa", un giornale del pomeriggio della capitale. La signora con la gamba di legno fece un largo sorriso e gli tese la mano. Piacere, disse, mi chiamo Ingeborg Delgado, sono tedesca, ma di origine portoghese, sono tornata in Portogallo a ritrovare le mie radici.

L'inserviente passò agitando la campanella per chiamare per il pranzo. Pereira si alzò e cedette il passo alla signora Delgado. Non ebbe il coraggio di offrirle il braccio, sostiene, perché pensò che quel gesto poteva ferire una signora che aveva un gamba di legno. Ma la signora Delgado si muoveva con grande agilità nonostante il suo arto artificiale e lo precedette nel corridoio. La vettura ristorante era vicina al loro scompartimento, così che non dovettero camminare troppo. Si accomodarono a un tavolino dalla parte sinistra del convoglio. Pereira si infilò il tovagliolo nel colletto della camicia e sentì che doveva chiedere scusa per il suo comportamento.

Mi scusi, disse, ma quando mangio mi sporco sempre la camicia, la mia donna delle pulizie dice che sono peggio dei bambini, spero di non sembrarle un provinciale. Oltre il finestrino scorreva il dolce paesaggio del Portogallo centrale: colline verdi di pini e villaggi bianchi. Ogni tanto si vedevano delle vigne e qualche contadino, come un puntino nero, che adornava il paesaggio. Le piace il Portogallo?, chiese Pereira. Mi piace, rispose la signora Delgado, ma non credo che vi resterò a lungo, ho visitato i miei parenti di Coimbra, ho ritrovato le mie radici, ma questo non è il paese che fa per me e per il popolo a cui appartengo, sono in attesa del visto dell'ambasciata americana, fra poco, almeno spero, partirò per gli Stati Uniti. Pereira credette di capire e chiese: lei è ebrea? Sono ebrea, confermò la signora Delgado, e l'Europa di questi tempi non è luogo adatto alla gente del mio popolo, specie la Germania, ma anche qui non c'è molta simpatia, me ne accorgo dai giornali, forse il giornale dove lavora lei fa eccezione, anche se è così cattolico, troppo cattolico per chi non è cattolico. Questo paese è cattolico, sostiene di aver detto Pereira, e anch'io sono cattolico, lo ammetto, anche se a modo mio, purtroppo abbiamo avuto l'Inquisizione e questo non ci fa onore, ma io, per esempio, non credo alla resurrezione della carne, non so se questo può significare qualcosa. Non so cosa signifighi, rispose la signora Delgado, ma credo che non mi riguardi. Ho notato che stava leggendo un libro di Thomas Mann, disse Pereira, è uno scrittore che amo molto. Anche lui non è felice per quello che sta succedendo in Germania, disse la signora Delgado, non direi che sia felice. Anch'io forse non sono felice per quello che succede in Portogallo, ammise Pereira. La signora Delgado bevve un sorso di acqua minerale e disse: e allora faccia qualcosa. Qualcosa come?, rispose Pereira. Beh, disse la signora Delgado, lei è un intellettuale, dica quello che sta succedendo in Europa, esprima il suo libero pensiero, insomma faccia qualcosa. Sostiene Pereira che avrebbe voluto dire molte cose. Avrebbe voluto rispondere che sopra di lui c'era il suo direttore, il quale era un personaggio del regime, e che poi c'era il regime, con la sua polizia e la sua censura, e che in Portogallo tutti erano imbavagliati, insomma che non si poteva esprimere liberamente la propria opinione, e che lui passava la sua giornata in una misera stanzuccia di Rua Rodrigo da Fonseca, in compagnia di un ventilatore asmatico e sorvegliato da una portiera che probabilmente era una confidente della polizia. Ma non disse niente di tutto questo, Pereira, disse solo: farò del mio meglio signora Delgado, ma non è facile fare del proprio meglio in un paese come questo per una persona come me, sa, io non sono Thomas Mann, sono solo un oscuro direttore della pagina culturale di un modesto giornale del pomeriggio, faccio qualche ricorrenza di scrittori illustri e traduco racconti dell'Ottocento francese, di più non si può fare. Capisco, replicò la signora Delgado, ma forse tutto si può fare, basta averne la volontà. Pereira guardò fuori dal finestrino e sospirò. Erano nei pressi di Vila Franca, si vedeva già il lungo serpente del Tago. Era bello, quel piccolo Portogallo baciato dal mare e dal clima, ma era tutto così difficile, pensò Pereira. Signora Delgado, disse, credo che fra poco arriveremo a Lisbona, siamo a Vila Franca, questa è una città di lavoratori onesti, di operai, anche noi, in questo piccolo paese, abbiamo la nostra opposizione, è un'opposizione silenziosa, forse perché non abbiamo Thomas Mann, ma è quello che possiamo fare, e ora forse è meglio se ci rechiamo al nostro scompartimento a preparare i bagagli, sono stato felice di conoscerla e di passare questo tempo con lei, mi permetta di offrirle il braccio, ma non lo interpreti come un gesto di aiuto, è solo un gesto di cavalleria, perché sa, in Portogallo siamo molto cavallereschi.

Pereira si alzò e offrì il braccio alla signora Delgado. Lei lo accettò con un lieve sorriso e si alzò con una certa difficoltà dallo stretto tavolino. Pereira pagò il conto e lasciò qualche moneta di mancia. Uscì dal vagone ristorante dando il braccio alla signora Delgado, e si sentiva fiero e turbato allo stesso tempo, ma non sapeva perché, sostiene Pereira.

11

Sostiene Pereira che il martedì seguente, quando arrivò in redazione, trovò la portiera che gli consegnò un espresso. Celeste glielo consegnò con aria ironica e gli disse: ho dato le sue istruzioni al postino, ma lui non può ripassare più tardi perché deve fare tutto il quartiere, così l'espresso lo ha lasciato a me. Pereira lo prese, fece un cenno di ringraziamento con la testa e guardò se c'era il mittente. Per fortuna non c'era nessun mittente, dunque Celeste era rimasta a bocca asciutta. Ma riconobbe subito l'inchiostro azzurro di Monteiro Rossi e la sua calligrafia svolazzante. Entrò in redazione e accese il ventilatore. Poi aprì la lettera. Diceva: «Egregio dottor Pereira, purtroppo sto attraversando un periodo infausto. Avrei bisogno di parlare con lei, è urgente, ma preferisco non passare dalla redazione. L'aspetto martedì sera, alle otto e trenta, al Café Orquídea, mi piacerebbe cenare con lei e raccontarle i miei problemi. Con speranza, suo Monteiro Rossi».

Sostiene Pereira che voleva fare un piccolo articolo della rubrica "Ricorrenze" dedicato a Rilke, che era morto nel ventisei, e dunque erano dodici anni dalla sua scomparsa. E poi si era messo a tradurre un racconto di Balzac. Aveva scelto *Honorine*, che era un racconto sul pentimento e che avrebbe pubblicato in tre o quattro puntate. Non sa perché, Pereira, ma credeva che quel racconto sul pentimento sarebbe stato un messaggio nella bóttiglia che qualcuno avrebbe raccolto. Perché c'era da pentirsi di molte cose, e un racconto sul pentimento ci voleva, e questo era l'unico mezzo per comunicare un messaggio a qualcuno che volesse intenderlo. Così prese il suo Larousse, spense il ventilatore e si diresse verso casa.

Quando arrivò in taxi davanti alla cattedrale faceva un caldo spaventoso. Pereira si tolse la cravatta e se la mise in tasca. Salì faticosamente la rampa di strada che lo conduceva a casa sua, aprì il portone e si sedette su uno scalino. Aveva il fiatone. Cercò in tasca una pasticca per il cuore che gli aveva ordinato il cardiologo e la ingoiò a secco. Si asciugò il sudore, si riposò, si rinfrescò in quel portone buio e poi entrò in casa sua. La portiera non gli aveva preparato niente, era partita per Setúbal, a casa dei suoi parenti, e sarebbe ritornata solo a settembre, come faceva tutti gli anni. Questo fatto in fondo lo sconfortò. Non gli piaceva essere solo, completamente solo, senza nessuno che si occupasse di lui. Passò davanti al ritratto di sua moglie e gli disse: ritorno tra dieci minuti. Andò in camera, si spogliò e si apprestò a fare il bagno. Il cardiologo gli aveva ordinato di non fare bagni troppo freddi, ma lui aveva bisogno di un bagno freddo, lasciò che la vasca si riempisse di acqua fredda e vi si immerse. Mentre stava immerso nell'acqua si accarezzò a lungo il ventre. Pereira, si disse, una volta la tua vita è stata diversa. Si asciugò e si infilò il pigiama. Andò fino all'ingresso, si fermò davanti al ritratto di sua moglie e gli disse: stasera vedo Monteiro Rossi, non so perché non lo licenzio o non lo mando a quel paese, ha dei problemi e vuole scaricarli su di me, questo l'ho capito, tu cosa ne dici, cosa devo fare? Il ritratto di sua moglie gli sorrise con un sorriso lontano. Bene, disse Pereira, ora vado a fare una siesta, sentirò dopo cosa vuole quel giovanotto. E si andò a coricare.

Quel pomeriggio, sostiene Pereira, fece un sogno. Un sogno bellissimo, della sua giovinezza. Ma preferisce non rivelarlo, perché i sogni non si devono rivelare, sostiene. Ammette solo che era felice e che si trovava d'inverno su una spiaggia del nord oltre Coimbra, alla Granja, magari, insieme con lui c'era una persona di cui non vuole svelare l'identità. Fatto è che si risvegliò di buon umore, si mise una camicia con le maniche corte, non prese la cravatta, prese invece una giacca leggera di cotone ma non la indossò, se la mise sul braccio. La serata era calda, ma per fortuna c'era un po' di brezza. Sul momento pensò di arrivare a piedi fino al Café Orquídea, ma poi gli sembrò una follia. Scese però fino al Terreiro do Paço e la passeggiata gli fece bene. Lì prese un tram e arrivò fino all'Alexandre Herculano. Il Café Orquídea era praticamente deserto, Monteiro Rossi non c'era, ma in realtà era lui che era in anticipo. Pereira si sistemò a un tavolino interno, vicino al ventilatore, e ordinò una limonata. Quando arrivò il cameriere gli chiese: che notizie ci sono, Manuel? Se non lo sa lei, dottor Pereira, che sta nel giornalismo, rispose il cameriere. Sono stato alle terme, rispose Pereira, e non ho letto i giornali, a parte che dai giornali non si sa mai niente, la cosa migliore è prendere le notizie a voce, per questo chiedo a lei, Manuel. Cose turche, dottor Pereira, rispose il cameriere, cose turche. E se ne andò.

In quel momento entrò Monteiro Rossi. Veniva avanti con quella sua aria imbarazzata, guardandosi intorno con circospezione. Pereira notò che indossava una bella camicia azzurra con il colletto bianco. Se l'è comprata con i miei soldi, pensò per un momento Pereira, ma non ebbe il tempo di riflettere su questo fatto perché Monteiro Rossi lo vide e si diresse verso di lui. Si strinsero la mano. Si accomodi, disse Pereira. Monteiro Rossi si accomodò al tavolo e non disse niente. Bene, disse Pereira, cosa vuole mangiare?, qui servono solo omelettes alle erbe aromatiche e insalate di pesce. Prenderei due omelettes alle erbe aromatiche, disse Monteiro

Rossi, scusi se le sembro sfacciato, ma oggi ho saltato il pranzo. Pereira ordinò tre omelettes alle erbe aromatiche e poi disse: e ora mi racconti i suoi problemi, visto che questa è la parola che usa nella lettera. Monteiro Rossi si ravviò la ciocca di capelli sulla fronte e quel gesto a Pereira fece un effetto strano, sostiene. Beh, disse Monteiro Rossi abbassando la voce, sono nei guai, dottor Pereira, questa è la verità. Il cameriere arrivò con le omelettes e Monteiro Rossi cambiò discorso. Disse: però che caldo che fa. Mentre il cameriere li serviva parlarono del clima e Pereira raccontò che era stato alle terme di Buçaco e lì sì che c'era veramente un bel clima, sulle colline, con tutto quel verde del parco. Poi il cameriere li lasciò in pace e Pereira chiese: ebbene? Ebbene, non so da dove cominciare, disse Monteiro Rossi, sono nei guai, questo è il fatto. Pereira tagliò una fetta della sua omelette e chiese: dipende da Marta?

Perché chiese questo, Pereira? Perché pensava davvero che Marta potesse arrecare dei problemi a quel giovanotto, perché l'aveva trovata troppo spigliata e troppo petulante, perché avrebbe voluto che tutto fosse diverso, che fossero in Francia o in Inghilterra dove le ragazze spigliate e petulanti potevano dire tutto quello che volevano? Questo Pereira non è in grado di dirlo, ma il fatto è che chiese: dipende da Marta? In parte sì, rispose Monteiro Rossi a bassa voce, ma non posso fargliene una colpa, lei ha le sue idee e sono idee molto solide. E allora?, chiese Pereira. Allora è che è arrivato mio cugino, rispose Monteiro Rossi. Non mi sembra molto grave, rispose Pereira, tutti abbiamo dei cugini. Sì, disse Monteiro Rossi quasi sussurrando, ma mio cugino viene dalla Spagna, è in una brigata, combatte dalla parte dei repubblicani, è in Portogallo per reclutare volontari portoghesi che vogliono far parte di una brigata internazionale, in casa mia non posso tenerlo, lui ha un passaporto argentino e si vede a un miglio di distanza che è falso, non so dove metterlo, non so dove nasconderlo. Pereira cominciò a sentire un filo di sudore che gli colava lungo la schiena, ma si mantenne calmo. E allora?, chiese continuando a mangiare la sua omelette. E allora bisognerebbe che lei, disse Monteiro Rossi, bisognerebbe che lei, dottor Pereira, si occupasse di lui, che gli trovasse un alloggio discreto, non importa se clandestino, purché sia, io non lo posso tenere in casa perché la polizia potrebbe essersi insospettita a causa di Marta, potrei essere anche sorvegliato. E allora?, chiese ancora Pereira. Allora lei non la sospetta nessuno, disse Monteiro Rossi, lui resta qui qualche giorno, il tempo di prendere contatto con la resistenza, e poi se ne ritorna in Spagna, lei deve aiutarmi dottor Pereira, deve cercargli un alloggio.

Pereira finì di mangiare la sua omelette, fece un cenno al cameriere e si fece portare un'altra limonata. Sono stupito della sua impudenza, disse, non so se si rende conto di quello che mi sta chiedendo, e poi cosa potrei trovare? Una stanza d'affitto, disse Monteiro Rossi, una pensione, un luogo dove non stanno troppo a guardare i documenti, lei deve sapere di luoghi del genere, con tutte le sue conoscenze.

Tutte le sue conoscenze, pensò Pereira. Ma se lui, di tutti quelli che conosceva, non conosceva nessuno, conosceva padre António al quale non poteva rifilare un problema del genere, conosceva il suo amico Silva, che stava a Coimbra e sul quale non poteva contare, e poi la portiera di Rua Rodrigo da Fonseca che forse era un'informatrice della polizia. Ma all'improvviso gli venne in mente una pensioncina della Graça, sopra il Castello, dove andavano le coppiette clandestine e dove non chiedevano i documenti a nessuno. Pereira la conosceva perché una volta il suo amico Silva gli aveva chiesto di prenotargli una camera in un luogo discreto dove doveva passare una notte con una signora di Lisbona che non poteva affrontare scandali. E così disse: me ne occuperò domattina, però suo cugino non lo mandi o non lo porti in redazione, per via della portiera, lo porti domattina alle undici a casa mia, ora le do l'indirizzo, ma niente telefonate, per favore, e cerchi di esserci anche lei, forse è meglio.

Perché Pereira disse così? Perché Monteiro Rossi gli faceva pena? Perché era stato alle terme e aveva parlato in maniera così deludente con il suo amico Silva? Perché sul treno aveva trovato la signora Delgado che gli aveva detto che bisognava fare qualcosa comunque? Pereira non lo sa, sostiene. Sa soltanto che capì di essersi messo nei guai e che doveva parlarne con qualcuno. Ma questo qualcuno non c'era in giro e allora pensò che ne avrebbe parlato con il ritratto di sua moglie quando sarebbe ritornato a casa. E infatti così fece, sostiene.

12

Alle undici in punto, sostiene Pereira, il suo campanello squillò. Pereira aveva già fatto colazione, si era alzato presto, e sul tavolo della sala da pranzo aveva preparato una caraffa di limonata con dei cubetti di ghiaccio. Prima entrò Monteiro Rossi con aria furtiva e bisbigliò buongiorno. Pereira chiuse la porta un po' perplesso e gli chiese se suo cugino non c'era. C'è sì, rispose Monteiro Rossi, ma non vuole entrare così all'improvviso, ha mandato avanti me a vedere. A vedere che cosa?, chiese Pereira con irritazione, state giocando a guardie e ladri o pensate che vi stesse aspettando la polizia? Oh, non è questo, dottor Pereira, si scusò Monteiro Rossi, solo che mio cugino è così sospettoso, sa, non si trova in una situazione facile, è qui per un compito delicato, ha un passaporto argentino e non sa dove sbattere la testa. Questo me lo ha già detto ieri sera, replicò Pereira, e ora lo chiami, per favore, basta con queste cretinate. Monteiro Rossi aprì la porta e fece un gesto che voleva dire avanti. Vieni, Bruno, disse in italiano, è tutto a posto.

Entrò un ometto piccolo e magro. Portava i capelli tagliati a spazzola, aveva un paio di baffetti biondi e indossava una giacca azzurra. Dottor Pereira, disse Monteiro Rossi, le presento mio cugino Bruno Rossi, però sul passaporto si chiama

Bruno Lugones, sarebbe meglio che lei lo chiamasse sempre Lugones. In che lingua dobbiamo parlare?, chiese Pereira, suo cugino conosce il portoghese? No, disse Monteiro Rossi, ma conosce lo spagnolo.

Pereira li fece accomodare in sala da pranzo e servì la limonata. Il signor Bruno Rossi non disse niente, si limitò a guardarsi intorno con aria sospettosa. Lontano si udì il fischio di un'ambulanza e il signor Bruno Rossi si irrigidì e andò alla finestra. Gli dica di stare tranquillo, disse Pereira a Monteiro Rossi, qui non siamo in Spagna, non c'è la guerra civile. Il signor Bruno Rossi tornò a sedersi e disse: perdone la molestia, pero estoy aquí por la causa republicana. Senta signor Lugones, disse Pereira in portoghese, parlerò lentamente perché lei mi capisca, a me non interessano né la causa repubblicana né la causa monarchica, io dirigo la pagina culturale di un giornale del pomeriggio e queste cose non fanno parte del mio panorama, io le trovo un alloggio tranquillo, di più non posso fare, e lei stia bene attento a non cercarmi, perché io non voglio avere niente a che vedere né con lei né con la sua causa. Il signor Bruno Rossi si rivolse a suo cugino e gli disse in italiano: non era così che me lo avevi descritto, io mi aspettavo un compagno. Pereira capì e replicò: io non sono compagno di nessuno, vivo solo e mi piace stare solo, il mio unico compagno sono io stesso, non so se mi faccio capire, signor Lugones, visto che questo è il nome del suo passaporto. Sì, sì, disse quasi balbettando Monteiro Rossi, però il fatto è che, ecco, abbiamo bisogno del suo aiuto e della sua comprensione, perché ci serve del denaro. Si spieghi meglio, disse Pereira. Beh, disse Monteiro Rossi, lui è senza soldi e se ci chiedono il pagamento anticipato in albergo noi non possiamo provvedere, per il momento, ma dopo me ne occuperò io, anzi se ne occuperà Marta, si tratterebbe solo di un prestito.

A quel punto Pereira si alzò, sostiene. Chiese scusa e disse: abbiate pazienza, ma ho bisogno di qualche momento di riflessione, vi chiedo qualche minuto. Li lasciò soli nella stanza da pranzo e si recò nell'ingresso. Si fermò davanti al ritratto di sua moglie e gli disse: senti, non è tanto quel Lugones che mi preoccupa, ma è Marta, secondo me è lei che è responsabile di questa storia, Marta è la ragazza di Monteiro Rossi, quella con i capelli color rame, credo di avertene parlato, ebbene, è lei che mette nei pasticci Monteiro Rossi, ne sono certo, e lui si fa mettere nei pasticci perché è innamorato, io devo metterlo in guardia, non ti pare? Il ritratto di sua moglie gli sorrise con un sorriso lontano e Pereira credette di capire. Ritornò in sala da pranzo e chiese a Monteiro Rossi: perché Marta, cosa c'entra Marta? Oh beh, balbettò arrossendo leggermente Monteiro Rossi, perché Marta ha molte risorse, solo per questo. Mi stia bene a sentire, caro Monteiro Rossi, disse Pereira, credo che lei si stia mettendo nei pasticci a causa di una bella ragazza, ma senta, io non sono né suo padre né voglio assumere con lei un'aria paterna che forse lei potrebbe interpretare come paternalismo, le voglio dire solo una cosa: attenzione. Sì, disse Monteiro Rossi, io faccio attenzione, ma per quanto riguarda il prestito? Questo lo risolveremo, rispose Pereira, ma perché dovrei anticiparlo proprio io? Senta, dottor Pereira, disse Monteiro Rossi cavando di tasca un foglio che gli tese, ho scritto un articolo e ne scriverò altri due la prossima settimana, mi sono permesso di fare una ricorrenza, ho fatto D'Annunzio, ci ho messo il cuore ma anche l'intelligenza, come lei mi ha consigliato, e le prometto che i prossimi saranno due scrittori cattolici come vuole lei.

Sostiene Pereira che provò di nuovo una lieve irritazione. Senta, rispose, io non è che voglia scrittori cattolici per forza, ma lei che ha scritto una tesi sulla morte potrebbe pensare un po' di più agli scrittori che si sono interessati a questo problema, insomma che si sono interessati all'anima, invece lei mi porta la ricorrenza di un vitalista come D'Annunzio, che magari sarà stato un bravo poeta, ma che ha sperperato la sua vita nelle frivolezze, non so se mi faccio capire, al mio giornale la gente frivola non piace, o almeno non piace a me. Perfetto, disse Monteiro Rossi, ho raccolto il messaggio. Bene, aggiunse Pereira, ora andiamo alla pensione, ho trovato una pensioncina alla Graça dove non fanno tante storie, io pagherò l'anticipo se lo chiedono, però aspetto almeno altri due necrologi, caro Monteiro Rossi, questi sono la sua paga quindicinale. Senta, dottor Pereira, disse Monteiro Rossi, la ricorrenza su D'Annunzio l'ho fatta perché sabato scorso ho comprato il "Lisboa" e ho visto che c'è una rubrica che si chiama "Ricorrenze", la rubrica non è firmata ma penso che la faccia lei, però se volesse un aiuto io glielo darei volentieri, mi piacerebbe fare una rubrica di questo genere, c'è un sacco di scrittori di cui potrei parlare, e poi, visto che è una rubrica anonima, non corre il rischio di metterla nei guai. Perché, lei ha dei guai?, sostiene di aver detto Pereira. Beh, qualcuno sì, come vede, rispose Monteiro Rossi, ma se volesse un nome diverso avrei pensato a uno pseudonimo, che ne direbbe di Roxy? Mi sembra un nome ben scelto, disse Pereira. Ritirò la limonata dal tavolo e la mise nella ghiacciaia, poi si infilò la giacca e disse: ebbene, andiamo.

Uscirono. Sulla piazzetta davanti al palazzo c'era un militare che dormiva steso su una panchina. Pereira ammise che non ce la faceva a fare la salita a piedi, così aspettarono un taxi. Il sole era implacabile, sostiene Pereira, e la brezza era cessata. Passò un taxi lento e Pereira lo fermò con un cenno del braccio. Durante il tragitto non parlarono. Scesero di fronte a una croce di granito che sorvegliava una minuscola cappella. Pereira entrò nella pensione ma consigliò Monteiro Rossi di aspettare fuori, si portò dietro il signor Bruno Rossi e lo presentò all'impiegato. Era un vecchietto con gli occhiali spessi che dormicchiava dietro il banco. Ho qui un amico argentino, disse Pereira, è il signor Bruno Lugones, questo è il suo passaporto, però vorrebbe mantenere l'anonimato, è qui per ragioni sentimentali. Il vecchietto si tolse gli occhiali e sfogliò il registro. Stamani ha telefonato una persona per fare una prenotazione, disse, è lei? Sono io, confermò Pereira. Abbiamo una matrimoniale senza bagno, disse il vecchietto, ma non so se per il signore va bene. Va benissimo, disse Pereira. Pagamento anticipato, disse il vecchietto, sa com'è. Pereira prese il portafoglio e tirò fuori due banconote. Le lascio tre giorni anticipati, disse, e ora buongiorno. Salutò il signor Bruno Rossi ma preferì non stringergli la mano, gli sembrava un gesto di eccessiva intimità. Buon soggiorno, gli disse.

Uscì fuori e si fermò davanti a Monteiro Rossi che aspettava seduto sul bordo della fontana. Passi domattina in redazione, gli disse, oggi leggerò il suo articolo, abbiamo cose di cui parlare. Ma io, veramente..., disse Monteiro Rossi. Veramente che cosa?, chiese Pereira. Sa, disse Monteiro Rossi, pensavo che a questo punto era meglio vederci in un posto tranquillo, magari a casa sua. D'accordo, disse Pereira, ma non a casa mia, a casa mia basta, ci vediamo domani alle tredici al Café Orquídea, che ne dice? D'accordo, rispose Monteiro Rossi, alle tredici al Café Orquídea. Pereira gli strinse la mano e gli disse arrivederci. Pensò che sarebbe andato a piedi fino a casa sua, tanto era tutta discesa. La giornata era magnifica, e per fortuna si era messa a spirare una bella brezza atlantica. Ma non si sentiva in grado di apprezzare la giornata. Si sentiva inquieto e avrebbe avuto voglia di parlare con qualcuno, magari con padre António, ma padre António passava le giornate al capezzale dei suoi malati. E allora pensò che poteva andare a fare una chiacchierata con il ritratto di sua moglie. Così si tolse la giacca e si avviò lentamente verso casa sua, sostiene.

13

Pereira passò la notte a finire di tradurre e di ridurre *Honorine* di Balzac, sostiene. Fu una traduzione impegnativa ma risultò abbastanza scorrevole, secondo la sua opinione. Dormì tre ore, dalle sei alle nove del mattino, poi si alzò, fece un bagno fresco, prese un caffè e si recò in redazione. La portiera, che incontrò sulle scale, gli tenne il muso e lo salutò con un cenno del capo. Lui sussurrò un buongiorno a mezza voce. Entrò nella sua stanza, si sedette alla scrivania e fece il numero del dottor Costa, il suo medico. Pronto, dottore, disse Pereira, sono Pereira. Allora come va?, chiese il dottor Costa. Ho il fiatone, rispose Pereira, non riesco a salire le scale e credo di essere ingrassato di qualche chilo, quando faccio una passeggiata ho il cuore a sobbalzi. Senta Pereira, disse il dottor Costa, io visito una volta alla settimana alla clinica talassoterapica di Parede, perché non si ricovera per qualche giorno? Ricoverarmi, perché?, chiese Pereira. Perché la clinica di Parede ha buona sorveglianza medica, inoltre curano reumatici e cardiopatici con metodi naturali, fanno bagni di alghe, massaggi e cure dimagranti, e poi ci sono dei dottori bravissimi che hanno studiato in Francia, a lei farebbe bene un po' di riposo e un po' di sorveglianza, Pereira, e la clinica di Parede è quello che fa per lei, se vuole posso prenotarle una camera per domani stesso, una bella e linda cameretta con vista sul mare, vita sana, bagni di alghe, talassoterapia, e io vengo a vederla almeno una volta, c'è ricoverato anche qualche tubercoloso, ma i tubercolosi li tengono in un padiglione riservato, non c'è pericolo di contagio. Oh, se è per questo io non ho paura della tubercolosi, sostiene di aver detto Pereira, ho trascorso la mia vita con una tubercolosa e la malattia su di me non ha mai avuto effetto, ma il problema non è questo, il problema è che mi hanno affidato la pagina culturale del sabato, non posso abbandonare la redazione. Senta Pereira, disse il dottor Costa, mi ascolti bene, Parede è a metà strada tra Lisbona e Cascais, da qui ci sono una decina di chilometri, se lei vuole scrivere i suoi articoli a Parede e mandarli a Lisbona c'è l'inserviente della clinica che tutte le mattine glieli può portare in città, comunque la sua pagina esce una volta alla settimana, e se lei prepara un paio di articoloni la pagina è pronta per due sabati, e poi lasci che le dica che la salute è più importante della cultura. D'accordo, disse Pereira, ma due settimane sono troppe, mi basterebbe una settimana di riposo. Meglio che niente, concluse il dottor Costa. Pereira sostiene che si rassegnò a accettare di passare una settimana alla clinica talassoterapica di Parede, e autorizzò il dottor Costa a prenotargli una camera per l'indomani, ma ci tenne a specificare che prima doveva avvertire il suo direttore, per un motivo di correttezza. Riattaccò e fece il numero della tipografia. Disse che c'era un racconto di Balzac da mettere in due o tre puntate, e che dunque la pagina culturale era fatta per qualche settimana. E la rubrica "Ricorrenze"?, chiese il tipografo. Nessuna ricorrenza, per ora, disse Pereira, il materiale non venite a prenderlo in redazione, perché nel pomeriggio non ci sarò, ve lo lascio in una busta chiusa al Café Orquídea, vicino alla macelleria ebraica. Poi fece il numero del centralino e chiese al centralinista di metterlo in comunicazione con le terme di Buçaco. Domandò del direttore del "Lisboa". Il direttore è nel parco che sta prendendo il sole, disse l'impiegato, non so se devo disturbarlo. Lo disturbi pure, disse Pereira, dica che è la redazione culturale che chiama. Il direttore arrivò al telefono e fece: pronto, sono il direttore. Signor direttore, disse Pereira, ho tradotto e ridotto un racconto di Balzac e ce ne sarà per due o tre numeri, le telefono perché avrei intenzione di ricoverarmi alla clinica talassoterapica di Parede, la mia cardiopatia non va per il meglio e il mio medico mi ha consigliato una cura, ho il suo permesso? E il giornale?, chiese il direttore. Come le ho detto è coperto per due o tre settimane almeno, sostiene di aver detto Pereira, e poi io sono a due passi da Lisbona, comunque le lascio il numero telefonico della clinica, e poi senta, se succede qualcosa mi precipito in redazione. E il praticante?, chiese il direttore, non potrebbe lasciare al suo posto il praticante? Meglio di no, rispose Pereira, mi ha fatto qualche necrologio ma non so fino a che punto siano articoli utilizzabili, se muore qualche scrittore importante ci penso io. D'accordo, disse il direttore, si prenda pure la sua settimana di cura, dottor Pereira, dopotutto al giornale c'è il vicedirettore che eventualmente può occuparsi di ogni problema. Pereira salutò e disse che presentava i suoi omaggi alla gentile signora che aveva conosciuto. Riattaccò e guardò l'orologio. Era quasi l'ora di andare al Café Orquídea, ma prima voleva leggere la ricorrenza su D'Annunzio che non aveva avuto il tempo di leggere la sera prima. Pereira è in grado di produrla come testimonianza, perché l'ha conservata. Diceva: «Esattamente cinque mesi fa, alle otto di sera del primo marzo 1938, moriva Gabriele D'Annunzio. In quel momento questo giornale non aveva ancora la sua pagina culturale, ma oggi ci sembra venuto il momento di parlare di lui. Fu un grande poeta Gabriele D'Annunzio, il cui vero nome per inciso era Rapagnetta? È difficile dirlo, perché le sue opere sono ancora troppo fresche per noi che siamo suoi contemporanei. Forse converrà piuttosto parlare della sua figura di uomo che si mescola con la figura dell'artista. Innanzitutto fu un vate. Amò il lusso, la mondanità, la magniloquenza, l'azione. Fu un grande decadente, dissolutore delle regole morali, amante della morbosità e dell'erotismo. Dal filosofo tedesco Nietzsche desunse il mito del superuomo ma lo ridusse a una visione della volontà di potenza di ideali estetizzanti destinati a comporre il caleidoscopio colorato di una vita inimitabile. Fu interventista nella grande guerra, convinto nemico della pace fra i popoli. Visse imprese bellicose e provocatorie come il volo su Vienna, nel 1918, quando lanciò manifestini italiani sulla città. Dopo la guerra organizzò un'occupazione della città di Fiume, dalla quale fu successivamente sloggiato dalle truppe italiane. Ritiratosi a Gardone, in una villa da lui chiamata Vittoriale degli Italiani, vi condusse una vita dissoluta e decadente, segnata da amori futili e da avventure erotiche. Guardò con favore al fascismo e alle imprese belliche. Fernando Pessoa lo aveva soprannominato 'assolo di trombone', e forse non aveva tutti i torti. La voce che di lui ci giunge non è infatti il suono di un delicato violino, ma la voce tuonante di uno strumento a fiato, di una tromba squillante e prepotente. Una vita non esemplare, un poeta altisonante, un uomo pieno di ombre e di compromessi. Una figura da non imitare, ed è per questo che lo ricordiamo. Firmato Roxy».

Pereira pensò: inutilizzabile, assolutamente inutilizzabile. Prese la cartellina dei "Necrologi" e vi inserì la pagina. Non sa perché lo fece, avrebbe potuto cestinarla, ma invece la conservò. Poi, per spegnere l'irritazione che lo aveva assalito, pensò di abbandonare la redazione e di dirigersi al Café Orquídea.

Quando arrivò al caffè la prima cosa che vide, sostiene Pereira, furono i capelli rossi di Marta. Stava seduta a un tavolino d'angolo, vicino al ventilatore, con le spalle rivolte verso la porta. Aveva lo stesso vestito che indossava la sera della festa a Praça da Alegria, con le bretelle incrociate sulla schiena. Sostiene Pereira di aver pensato che Marta aveva delle spalle bellissime, dolci, ben proporzionate, perfette. Si avvicinò e le si mise di fronte. Oh, dottor Pereira, disse Marta con naturalezza, sono venuta al posto di Monteiro Rossi, lui oggi non poteva venire.

Pereira si accomodò al tavolo e chiese a Marta se prendeva un aperitivo. Marta rispose che avrebbe bevuto volentieri un porto secco. Pereira chiamò il cameriere e ordinò due porto secchi. Non avrebbe dovuto bere alcolici, ma tanto l'indomani sarebbe andato alla clinica talassoterapica a fare una dieta per una settimana. Ebbene?, chiese Pereira quando il cameriere li ebbe serviti. Ebbene, rispose Marta, credo che questo sia un periodo difficile per tutti, lui è partito per l'Alentejo, e per ora resterà là, è bene che passi qualche giorno fuori Lisbona. E suo cugino?, chiese incautamente Pereira. Marta lo guardò e sorrise. So che lei è stato un grande appoggio per Monteiro Rossi e suo cugino, disse Marta, dottor Pereira lei è stato veramente magnifico, dovrebbe essere dei nostri. Pereira sentì una lieve irritazione, sostiene, e si tolse la giacca. Senta signorina, replicò, io non sono né dei vostri né dei loro, preferisco fare per conto mio, del resto non so chi sono i vostri e non voglio saperlo, io sono un giornalista e mi occupo di cultura, ho appena finito di tradurre un racconto di Balzac, delle vostre storie preferisco non essere al corrente, non sono un cronista. Marta bevve un sorso di vino di porto e disse: noi non facciamo la cronaca, dottor Pereira, è questo che mi piacerebbe che lei capisse, noi viviamo la Storia. Pereira bevve a sua volta il suo bicchiere di porto e replicò: senta signorina, Storia è una parola grossa, anch'io ho letto Vico e Hegel, a suo tempo, non è una bestia che si può addomesticare. Ma forse lei non ha letto Marx, obiettò Marta. Non l'ho letto, disse Pereira, e non mi interessa, di scuole hegeliane sono stufo, e poi senta, lasci che le ripeta una cosa che le ho già detto prima, io penso a me soltanto e alla cultura, è questo il mio mondo. Anarchico individualista?, chiese Marta, è questo che mi piacerebbe sapere. Cosa vuole intendere con ciò?, chiese Pereira. Oh, disse Marta, non mi dica che non sa cosa vuol dire anarchico individualista, la Spagna ne è piena, gli anarchici individualisti fanno molto parlare di sé in questi tempi e si sono anche comportati eroicamente, anche se forse un po' più di disciplina ci vorrebbe, questo almeno è quello che penso. Senta, Marta, disse Pereira, io non sono venuto in questo caffè per parlare di politica, come le ho già detto la politica non mi interessa perché mi occupo principalmente di cultura, io avevo un appuntamento con Monteiro Rossi e lei mi viene a dire che è in Alentejo, che cosa è andato a fare in Alentejo?

Marta si guardò intorno come se cercasse il cameriere. Ordiniamo qualcosa da mangiare?, chiese, io ho un appuntamento alle quindici. Pereira chiamò Manuel. Ordinarono due omelettes alle erbe aromatiche, e poi Pereira ripeté: e allora, cosa è andato a fare in Alentejo Monteiro Rossi? Ha accompagnato suo cugino, rispose Marta, che ha avuto degli ordini all'ultimo minuto, sono soprattutto gli alentejani che vogliono andare a combattere in Spagna, c'è una grande tradizione democratica in Alentejo, e ci sono anche molti anarchici individualisti, come lei, dottor Pereira, il lavoro non manca, insomma il fatto è che Monteiro Rossi ha dovuto accompagnare suo cugino in Alentejo, perché è lì che si reclutano persone. Bene, rispose Pereira, gli faccia gli auguri di buon reclutamento. Il cameriere portò le omelettes e cominciarono a mangiare. Pereira si annodò il tovagliolo intorno al collo, prese una fetta di omelette e disse: senta Marta, io parto domani per una clinica talassoterapica vicino a Cascais, ho problemi di salute, dica a Monteiro Rossi che il suo articolo su D'Annunzio è perfettamente inutilizzabile, a ogni modo le lascio il telefono della clinica dove starò per una settimana, il momento migliore per telefonarmi è l'ora dei pasti, e ora mi dica dov'è Monteiro Rossi. Marta abbassò la voce e disse: stasera sarà a Portalegre, in casa di amici, ma preferirei non darle l'indirizzo, del resto è un indirizzo precario, perché lui dormirà una sera qua e una sera là, deve muoversi un po' per l'Alentejo, eventualmente sarà lui a entrare in contatto con lei. D'accordo, disse Pereira passandole un bigliettino, questo è il mio numero telefonico, la clinica talassoterapica di Parede. Io dovrei andarmene, dottor Pereira, disse Marta, mi scusi ma ho un appuntamento e devo attraversare tutta la città.

Pereira si alzò e la salutò. Marta si avviò e si mise il suo cappello di refe. Pereira restò a guardarla mentre usciva, rapito da quella bella silhouette che si stagliava nel sole. Si sentì sollevato e quasi allegro, ma non sa perché. Allora fece un cenno a Manuel che arrivò sollecito e gli chiese se voleva un digestivo. Ma lui aveva sete, perché il pomeriggio era caldissimo. Rifletté un attimo e poi disse che voleva solo una limonata. E la ordinò ben gelata, piena di ghiaccio, sostiene Pereira.

14

L'indomani Pereira si alzò presto, sostiene. Prese il caffè, preparò una piccola valigia e vi infilò i *Contes du lundi* di Alphonse Daudet. Magari si tratteneva qualche giorno in più, pensò, e Daudet era un autore che poteva figurare perfettamente nei racconti del "Lisboa".

Si recò nell'ingresso, si fermò davanti al ritratto di sua moglie e gli disse: ieri sera ho visto Marta, la fidanzata di Monteiro Rossi, ho l'impressione che quei ragazzi si stiano mettendo in grossi guai, anzi, ci si sono già messi, a ogni modo è una cosa che non mi riguarda, io ho bisogno di una settimana di talassoterapia, me la ha ordinata il dottor Costa, e poi a Lisbona si soffoca e io ho tradotto *Honorine* di Balzac, parto stamani, vado a prendere un treno al Cais de Sodré, ti porto con me, se permetti. Prese il ritratto e lo mise nella valigia, ma a testa in su, perché sua moglie aveva avuto bisogno di aria tutta la vita e pensò che anche il ritratto avesse bisogno di respirare bene. Poi scese fino alla piazzetta della cattedrale, aspettò un taxi e si fece portare alla stazione. Nella piazza scese e pensò di prendere qualcosa al British Bar del Cais de Sodré. Sapeva che quello era un luogo frequentato da letterati e sperava di incontrare qualcuno. Entrò e si mise a un tavolo d'angolo. Al tavolo vicino, infatti, c'era il romanziere

Aquilino Ribeiro che pranzava con Bernardo Marques, il disegnatore d'avanguardia, colui che aveva fatto le illustrazioni delle migliori riviste del modernismo portoghese. Pereira augurò loro buongiorno e gli artisti risposero con un cenno del capo. Sarebbe stato bello pranzare al loro tavolo, pensò Pereira, e raccontare che il giorno prima aveva ricevuto una critica molto negativa su D'Annunzio, e sapere che cosa ne pensavano. Ma i due artisti erano impegnati in una fitta conversazione e Pereira non ebbe il coraggio di disturbarli. Capì che Bernardo Marques non voleva più disegnare e che il romanziere voleva partire per l'estero. Questo gli dette un senso di scoraggiamento, sostiene Pereira, perché non si aspettava che uno scrittore come quello abbandonasse il suo paese. Mentre beveva la sua limonata e gustava le sue chioccioline di mare, Pereira ascoltò qualche frase. A Parigi, diceva Aquilino Ribeira, l'unico posto praticabile è Parigi. E Bernardo Marques annuiva dicendo: mi hanno proposto disegni per varie riviste, ma io non ho più voglia di disegnare, questo è un paese orrendo, è meglio non collaborare con nessuno. Pereira finì le sue chioccioline e la sua limonata, si alzò e si soffermò davanti al tavolo dei due artisti. Auguro a lorsignori una buona continuazione, disse, permettano che mi presenti, sono il dottor Pereira, della pagina culturale del "Lisboa", tutto il Portogallo è fiero di avere due artisti come voi, di voi abbiamo bisogno.

Poi uscì nella luce abbagliante del meriggio e si diresse al treno. Fece il biglietto fino a Parede e chiese quanto tempo ci voleva. L'impiegato rispose che ci voleva poco e lui si sentì soddisfatto. Era il treno della linea di Estoril, e portava principalmente gente in vacanza. Pereira si sistemò sul lato sinistro del convoglio perché aveva desiderio di vedere il mare. Il vagone era praticamente deserto, data l'ora, e Pereira scelse un sedile a suo piacimento, abbassò un po' la tendina perché il sole non gli battesse sugli occhi, dato che il suo lato era esposto a mezzogiorno, e guardò il mare. Si mise a pensare alla sua vita, ma di questo non ha voglia di parlare, sostiene. Preferisce dire che il mare era calmo e che sulla spiaggia c'erano bagnanti. Pereira pensò da quanto tempo non prendeva un bagno di mare, e gli parvero secoli. Gli vennero in mente i tempi di Coimbra, quando andava alle spiagge vicino a Oporto, alla Granja o a Espinho, per esempio, dove c'era un casinò e un club. Il mare era freddissimo, in quelle spiagge del Nord, ma lui era capace di nuotare per delle mattine intere, mentre i suoi compagni di università, tutti infreddoliti, lo aspettavano sulla spiaggia. Poi si rivestivano, indossavano una giacca elegante e si recavano al club a giocare a biliardo. La gente li ammirava e il maître li accoglieva dicendo: ecco gli studenti di Coimbra! E dava loro il miglior biliardo.

Pereira si riscosse quando passò davanti a Santo Amaro. Era una bella spiaggia arcuata e si vedevano le baracche di tela a strisce bianche a azzurre. Il treno si fermò e Pereira pensò di scendere e di andare a fare un bagno, tanto poteva prendere il treno successivo. Fu più forte di lui. Pereira non saprebbe dire perché sentì quell'impulso, forse perché aveva pensato ai suoi tempi di Coimbra e ai bagni alla Granja. Scese con la sua piccola valigia e attraversò il sottopassaggio che portava alla spiaggia. Quando arrivò sulla sabbia si tolse le scarpe e i calzini e avanzò così, tenendo in una mano la valigia e nell'altra le scarpe. Vide subito il bagnino, un giovanottone abbronzato che sorvegliava i bagnanti stando disteso su una sdraio. Pereira gli si avvicinò e disse che voleva affittare un costume da bagno e uno spogliatoio. Il bagnino lo squadrò da capo a piedi con aria sorniona e mormorò: non so se abbiamo un costume della sua taglia, comunque le do la chiave del magazzino, è la cabina più grande, la numero uno. E poi chiese con un'aria che a Pereira sembrò ironica: ha bisogno anche di un salvagente? So nuotare molto bene, rispose Pereira, forse molto meglio di lei, non si preoccupi. Prese la chiave del magazzino e la chiave dello spogliatoio e si avviò. Nel magazzino c'era un po' di tutto: boe, salvagenti gonfiabili, una rete da pesca coperta di sugheri, costumi da bagno. Frugò fra i costumi da bagno per vedere se ne trovava uno all'antica, di quelli completi, che gli coprisse anche la pancia. Riuscì a trovarlo e lo indossò. Gli andava un po' stretto e era di lana, ma di meglio non ne trovò. Portò la sua valigia e i suoi indumenti nello spogliatoio e attraversò la spiaggia. Sulla battigia c'era un gruppo di giovani che giocavano a palla e Pereira li evitò. Entrò nell'acqua con calma, piano piano, lasciando che il fresco lo abbracciasse lentamente. Poi, quando l'acqua gli arrivò all'ombelico, si tuffò e si mise a nuotare un crawl lento e misurato. Nuotò a lungo, fino alle boe. Quando abbracciò la boa di salvataggio sentì che aveva il fiatone e che il suo cuore batteva all'impazzata. Sono matto, pensò, non nuoto da una vita e mi butto in acqua così, come uno sportivo. Si riposò attaccato alla boa, poi si mise a fare il morticino. Il cielo sopra i suoi occhi era di un azzurro feroce. Pereira riprese fiato e rientrò calmamente, con lente bracciate. Passò davanti al bagnino e volle togliersi una soddisfazione. Come ha visto non ho avuto bisogno del salvagente, disse, quando passa il prossimo treno per Estoril? Il bagnino consultò l'orologio. Fra un quarto d'ora, rispose. Benissimo, disse Pereira, allora mi raggiunga che vado a rivestirmi e la pago perché non ho molto tempo. Si rivestì nello spogliatoio, uscì, pagò il bagnino, si dette una pettinata ai pochi capelli con un pettinino che teneva nel portafoglio e salutò. Arrivederci, disse, e sorvegli quei ragazzi che giocano a palla, secondo me non sanno nuotare e poi danno fastidio ai bagnanti.

Si infilò nel sottopassaggio e si sedette su una panchina di pietra, sotto la pensilina. Sentì arrivare il treno e guardò l'orologio. Era tardi, pensò, probabilmente alla clinica talassoterapica l'aspettavano per il pranzo, perché nelle cliniche si mangia presto. Pensò: pazienza. Ma si sentiva bene, si sentiva rilassato e fresco, mentre il treno arrivava in stazione, e poi aveva tutto il tempo per la clinica talassoterapica, ci sarebbe rimasto almeno una settimana, sostiene Pereira.

Quando arrivò a Parede erano quasi le due e mezzo. Prese un taxi e chiese al tassista di portarlo alla clinica talassoterapica. Quella dei tubercolosi?, chiese il tassista. Non so, rispose Pereira, è sul lungomare. Ma allora è a due passi, disse il tassista, ci può anche andare a piedi. Senta, disse Pereira, sono stanco e fa molto caldo, poi le darò una mancia.

La clinica talassoterapica era un edificio rosa con un grande giardino pieno di palme. Restava in alto, sulle rocce, e c'era una scalinata che conduceva alla strada e poi alla spiaggia. Pereira salì faticosamente la scalinata e entrò nella hall. Lo ricevette una signora grassa dalle gote rosse, con un camice bianco. Sono il dottor Pereira, disse Pereira, deve aver telefonato il mio medico, il dottor Costa, per prenotarmi una camera. Oh, dottor Pereira, disse la signora in camice bianco, l'aspettavamo per pranzo, perché è così in ritardo, ha già pranzato? Veramente ho solo mangiato delle chioccioline alla stazione, ammise Pereira, e avrei un certo appetito. E allora mi segua, disse la signora in camice bianco, il ristorante è chiuso ma c'è Maria das Dores che può prepararle un bocconcino. Lo pilotò fino alla sala da pranzo, un vasto locale con dei finestroni che si affacciavano sul mare. Era completamente deserto. Pereira si sedette a un tavolino e arrivò una signora in grembiule con dei baffetti pronunciati. Sono Maria das Dores, disse la donna, sono la cuoca, le posso preparare una cosina ai ferri. Una sogliola, rispose Pereira, grazie. Ordinò anche una limonata e si mise a sorseggiarla con gusto. Si tolse la giacca e si annodò il tovagliolo sulla camicia. Maria das Dores arrivò con un pesce ai ferri. Non avevamo più sogliole, disse, le ho preparato un'orata. Pereira cominciò a mangiarla con gusto. I bagni d'alghe sono alle diciassette, disse la cuoca, ma se lei non se la sente e vuole fare un pisolino può cominciare domani, il suo medico è il dottor Cardoso, la verrà a trovare in camera sua alle sei del pomeriggio. Perfetto, disse Pereira, credo che andrò un po' a riposarmi.

Salì in camera sua, che era la ventidue, e trovò la sua valigia. Chiuse le persiane, si lavò i denti e si stese sul letto senza pigiama. C'era una bella brezza atlantica che filtrava attraverso le persiane e agitava le tende. Pereira si addormentò quasi subito. Fece un bel sogno, un sogno della sua giovinezza, lui era sulla spiaggia della Granja e nuotava in un oceano che sembrava una piscina, e sul bordo di quella piscina c'era una ragazza pallida che lo aspettava con un asciugamano fra le braccia. E poi lui rientrava dalla nuotata e il sogno continuava, era proprio un bel sogno, ma Pereira preferisce non dire come continuava, perché il suo sogno non ha niente a che vedere con questa storia, sostiene.

15

Alle sei e mezzo Pereira sentì bussare alla porta, ma era già sveglio, sostiene. Guardava le strisce di luce e di ombra delle persiane sul soffitto, pensava a *Honorine* di Balzac, al pentimento, e gli sembrava che anche lui dovesse pentirsi di qualcosa, ma non sapeva di che cosa. All'improvviso ebbe desiderio di parlare con padre António, perché a lui avrebbe potuto confidare che voleva pentirsi, ma non sapeva di cosa doveva pentirsi, sentiva solo una nostalgia di pentimento, questo voleva dire, o forse gli piaceva solo l'idea del pentimento, chissà.

Sì?, chiese Pereira. È l'ora della passeggiata, disse la voce di un'infermiera oltre la porta, il dottor Cardoso la aspetta nella hall. Pereira non aveva voglia di fare nessuna passeggiata, sostiene, ma si alzò lo stesso, disfece la valigia, si infilò un paio di scarpe di corda, un paio di pantaloni di cotone e una camicia ampia color kaki. Sistemò il ritratto di sua moglie sul tavolo e gli disse: ebbene, eccomi qua, alla clinica talassoterapica, ma se mi annoio me ne vado, per fortuna mi sono portato un libro di Alphonse Daudet, così posso fare qualche traduzione per il giornale, di Daudet ci piacque soprattutto *Le petit chose*, te ne ricordi?, lo leggemmo a Coimbra e ci commosse entrambi, era la storia di un'infanzia e forse pensavamo a un figlio che poi non arrivò, pazienza, comunque mi sono portato i *Contes du lundi* e credo che una novella andrebbe benissimo per il "Lisboa", beh, ora scusa, devo andare, pare che ci sia un dottore che mi aspetta, sentiamo quali sono i metodi della talassoterapia, ci vediamo più tardi.

Quando arrivò nella hall vide un signore in camice bianco che guardava il mare dalle finestre. Pereira gli si avvicinò. Era un uomo tra i trentacinque e i quarant'anni, con un pizzetto biondo e gli occhi celesti. Buonasera, disse il medico con un sorriso timido, sono il dottor Cardoso, lei è il dottor Pereira, immagino, la stavo aspettando, sarebbe l'ora della passeggiata dei pazienti sulla spiaggia, ma se lei lo preferisce possiamo restare a parlare qui o uscire in giardino. Pereira rispose che in effetti non gli andava molto una passeggiata sulla spiaggia, disse che quel giorno in spiaggia c'era già stato e raccontò il bagno fatto a Santo Amaro. Oh, è magnifico, esclamò il dottor Cardoso, credevo di avere a che fare con un paziente più difficile, ma vedo che la natura la attira ancora. Forse sono attirato piuttosto dai ricordi, disse Pereira. In che senso?, chiese il dottor Cardoso. Poi forse glielo spiegherò, disse Pereira, ma non ora, magari domani.

Uscirono in giardino. Facciamo una passeggiata?, propose il dottor Cardoso, farà bene a lei e farà bene a me. Dietro le palme del giardino, che crescevano fra rocce e sabbia, c'era un bel parco. Pereira vi seguì il dottor Cardoso, che era in vena di chiacchierare. In questi giorni lei è affidato a me, disse il medico, ho bisogno di parlare con lei e di conoscere le sue abitudini, con me non deve avere segreti. Mi chieda tutto, disse Pereira con disponibilità. Il dottor Cardoso colse un filo d'erba e se lo mise in bocca. Cominciamo dalle sue abitudini alimentari, chiese, quali sono? La mattina prendo il caffè, rispose Pereira, e poi faccio un pranzo e una cena, come tutti, è molto semplice. E cosa mangia di solito, chiese il dottor Cardoso, voglio dire, che tipo di alimentazione mantiene? Frittate, avrebbe voluto rispondere Pereira, mangio praticamente solo frittate, perché la mia portiera mi prepara pane e frittata e perché al Café Orquídea servono solo omelettes alle erbe aromatiche. Ma provò vergogna e rispose diversamente. Alimentazione variata, disse, pesce, carne, verdura, sono abbastanza parco nel cibo e mi nutro in maniera razionale. E la sua pinguedine quando ha cominciato a manifestarsi?, chiese il dottor Cardoso. Alcuni anni fa, rispose Pereira, dopo la morte di mia moglie. E in quanto a dolci, chiese il dottor Cardoso, mangia molti dolci? Mai, rispose Pereira, non mi piacciono, bevo solo limonate. Limonate come?, chiese il dottor Cardoso. Spremute naturali di limone, disse Pereira, mi piacciono, mi rinfrescano e ho l'impressione che mi facciano bene all'intestino, perché ho spesso gli intestini in disordine. Quante al giorno?, chiese il dottor Cardoso. Pereira ci pensò un attimo. Dipende dai giorni, rispose, ora in estate, per esempio, una decina. Dieci limonate al giorno!, esclamò il dottor Cardoso, dottor Pereira, mi sembra una pazzia, e mi dica, ci mette zucchero? Le riempio di zucchero, disse Pereira, metà bicchiere di limonata e metà di zucchero. Il dottor Cardoso sputò il filo d'erba che teneva in bocca, fece un gesto perentorio con la mano e sentenziò: da oggi è finita con le limonate, le sostituiamo con acqua minerale, meglio se non gassata, ma se preferisce acqua gassata va bene ugualmente. C'era una panchina sotto i cedri del parco, e Pereira si sedette obbligando il dottor Cardoso a sedersi a sua volta. E mi scusi, dottor Pereira, disse il dottor Cardoso, ora vorrei farle una domanda intima: quanto a attività sessuale? Pereira guardò la cima degli alberi e disse: si spieghi meglio. Donne, spiegò il dottor Cardoso, frequenta delle donne, pratica una normale attività sessuale? Senta dottore, disse Pereira, io sono vedovo, non sono più giovane e faccio un lavoro impegnativo, non ho tempo e non ho voglia di trovarmi delle donne. E neanche donnine?, chiese il dottor Cardoso, che so, un'avventura, una signora di facili costumi, di quando in quando. Nemmeno, disse Pereira, e tirò fuori un sigaro chiedendo se poteva fumare. Il dottor Cardoso glielo consentì. Non le fa bene alla sua cardiopatia, disse, ma se proprio non ne può fare a meno. Lo faccio perché le sue domande mi imbarazzano, confessò Pereira. E allora ho un'altra domanda imbarazzante, disse il dottor Cardoso, ha polluzioni notturne? Non capisco la domanda, disse Pereira. Beh, disse il dottor Cardoso, voglio dire se non ha sogni erotici che la conducano all'orgasmo, ha sogni erotici, cosa sogna? Senta dottore, rispose Pereira, mio padre mi ha insegnato che i nostri sogni sono la cosa più privata che abbiamo e che non bisogna rivelarli a nessuno. Ma lei è qui in cura e io sono il suo medico, replicò il dottor Cardoso, la sua psiche è in rapporto con il suo corpo, e io devo sapere cosa sogna. Sogno spesso la Granja, confessò Pereira. È una donna?, chiese il dottor Cardoso. È una località, disse Pereira, è una spiaggia vicino a Oporto, ci andavo da giovane quando ero studente a Coimbra, poi c'era Espinho, era una spiaggia elegante, con piscina e casinò, spesso facevo delle nuotate e giocavo a biliardo, perché c'era una bella sala da biliardo, è lì che veniva anche la mia fidanzata, che poi sposai, lei era una ragazza malata, ma a quel tempo non lo sapeva ancora, aveva solo dei gran mal di testa, quello è stato un bel periodo della mia vita, e io lo sogno forse perché mi piace sognarlo. Bene, disse il dottor Cardoso, per oggi è tutto, stasera mi piacerebbe cenare al suo tavolo, possiamo parlare del più e del meno, io seguo molto la letteratura e ho visto che il suo giornale dà un grande spazio agli scrittori francesi dell'Ottocento, sa, io ho studiato a Parigi, sono di cultura francese, stasera le descriverò il programma di domani, ci vediamo nella sala ristorante alle otto.

Il dottor Cardoso si alzò e lo salutò. Pereira restò seduto e si mise a guardare la cima degli alberi. Mi scusi dottore, aggiunse Pereira, le avevo promesso che avrei spento il sigaro, ma ho voglia di fumarmelo fino in fondo. Faccia pure come vuole, riprese il dottor Cardoso, da domani cominciamo la dieta. Pereira restò solo a fumare. Pensò che il dottor Costa, che pure era un suo vecchio conoscente, non gli avrebbe mai fatto domande così personali e riservate, evidentemente i giovani medici che avevano studiato a Parigi erano proprio differenti. Pereira si sentì stupito e provò un grande imbarazzo a posteriori, ma rifletté che era meglio non pensarci troppo, quella evidentemente era una clinica davvero particolare, sostiene.

16

Alle otto, puntualissimo, il dottor Cardoso era seduto al tavolo della sala ristorante. Anche Pereira arrivò puntuale, sostiene, e si diresse al tavolo. Aveva indossato il suo abito grigio e si era messo la cravatta nera. Quando entrò nella sala si guardò intorno. I presenti potevano essere una cinquantina, e erano tutti anziani. Più vecchi di lui, senz'altro, per la maggior parte vecchie coppie di coniugi che cenavano allo stesso tavolo. Questo lo fece sentire meglio, sostiene, perché pensò che in fondo era uno dei più giovani, e gli fece piacere non essere poi così vecchio. Il dottor Cardoso gli sorrise e fece l'atto di alzarsi. Pereira lo fece restare comodo con un cenno della mano. Bene, dottor Cardoso, disse Pereira, anche per questa cena sono nelle sue mani. Un bicchiere di acqua minerale a digiuno è sempre una buona regola igienica, disse il dottor Cardoso. Gassata, chiese Pereira. Gassata, concesse il dottor Cardoso, e gli riempì il bicchiere. Pereira la bevve con un leggero senso di repulsione e desiderò una limonata. Dottor Pereira, disse il dottor Cardoso, mi piacerebbe sapere quali sono i suoi progetti per la pagina culturale del "Lisboa", ho apprezzato molto la ricorrenza su Pessoa e il racconto di Maupassant, era molto ben tradotto. L'ho tradotto io, rispose Pereira, ma non mi piace firmare. Dovrebbe farlo, replicò il dottor Cardoso, specie gli articoli più importanti, e per il futuro cosa ci riserva il suo giornale? Le dirò, dottor Cardoso, rispose Pereira, per i prossimi tre o quattro numeri c'è un racconto di Balzac, si chiama *Honorine*, non so se lo conosce. Il dottor Cardoso fece di no con la testa. È un racconto sul pentimento, disse Pereira, un bel racconto sul pentimento, tanto che io l'ho letto in chiave autobiografica. Un pentimento del grande Balzac?, interloquì il dottor Cardoso. Pereira restò un attimo soprappensiero. Scusi se glielo chiedo, dottor Cardoso, disse, lei mi ha detto oggi pomeriggio che ha studiato in Francia, che studi ha fatto, se permette? Mi sono laureato in medicina e poi ho fatto due specializzazioni, una in dietologia e l'altra in psicologia, rispose il dottor Cardoso. Non vedo il nesso fra le due specializzazioni, sostiene di aver detto Pereira, mi scusi ma non vedo il nesso. Forse c'è un nesso maggiore di quanto non si pensi, disse il dottor Cardoso, non so se lei può immaginare i nessi che intercorrono fra il nostro corpo e la nostra psiche, ma ce ne sono più di quanti immagina, comunque mi diceva che il racconto di Balzac è un racconto autobiografico. Oh, non volevo dir questo, ribatté Pereira, volevo dire che io l'ho letto in chiave autobiografica, che mi ci sono riconosciuto. Nel pentimento?, chiese il dottor Cardoso. In qualche modo, disse Pereira, anche se in modo molto trasversale, anzi, la parola è limitrofo, diciamo che mi ci sono riconosciuto in modo limitrofo.

Il dottor Cardoso fece un cenno alla cameriera. Stasera mangiamo pesce, disse il dottor Cardoso, io preferirei che prendesse pesce ai ferri o bollito, ma si può fare anche in altri modi. Il pesce ai ferri l'ho già mangiato a pranzo, si giustificò Pereira, e bollito proprio non mi piace, mi sa troppo di ospedale, e non mi piace considerarmi in un ospedale, preferirei pensare che mi trovo in un albergo, prenderei volentieri una sogliola alla mugnaia. Perfetto, disse il dottor Cardoso, sogliola alla mugnaia con carote al burro, la prendo anch'io.

E poi continuò: pentimento in modo limitrofo, cosa significa? Il fatto che lei abbia studiato psicologia mi incoraggia a parlare con lei, disse Pereira, forse farei meglio a parlarne con il mio amico padre António, che è un sacerdote, però forse lui non capirebbe, perché ai sacerdoti bisogna confessare le proprie colpe e io non mi sento colpevole di niente di speciale, eppure ho desiderio di pentirmi, sento nostalgia del pentimento. Forse dovrebbe approfondire la questione, dottor Pereira, disse il dottor Cardoso, e se ha voglia di farlo con me io sono a sua disposizione. Ebbene, disse Pereira, è una sensazione strana, che sta alla periferia della mia personalità, e è per questo che io la chiamo limitrofa, il fatto è che da una parte io sono contento di aver fatto la vita che ho fatto, sono contento di aver fatto i miei studi a Coimbra, di avere sposato una donna malata che ha passato la sua vita nei sanatori, di aver tenuto la cronaca nera per tanti anni in un grande giornale e ora di aver accettato di dirigere la pagina culturale di questo modesto giornale del pomeriggio, però, nello stesso tempo, è come se avessi voglia di pentirmi della mia vita, non so se mi spiego.

Il dottor Cardoso cominciò a mangiare la sua sogliola alla mugnaia e Pereira seguì il suo esempio. Bisognerebbe che conoscessi meglio gli ultimi mesi della sua vita, disse il dottor Cardoso, forse c'è stato un evento. Un evento in che senso, chiese Pereira, cosa vuol dire con questo? Evento è una parola della psicoanalisi, disse il dottor Cardoso, non è che io creda troppo a Freud, perché sono un sincretista, ma credo che sul fatto dell'evento abbia ragione senz'altro, l'evento è un avvenimento concreto che si verifica nella nostra vita e che sconvolge o che turba le nostre convinzioni e il nostro equilibrio, insomma l'evento è un fatto che si produce nella vita reale e che influisce sulla vita psichica, lei dovrebbe riflettere se nella sua vita c'è stato un evento. Ho conosciuto una persona, sostiene di aver detto Pereira, anzi, due persone, un giovanotto e una ragazza. Me ne parli pure, disse il dottor Cardoso. Bene, disse Pereira, il fatto è che alla pagina culturale avevo bisogno dei necrologi anticipati degli scrittori importanti che possono morire da un momento all'altro, e la persona che ho conosciuto ha fatto una tesi sulla morte, è vero che in parte l'ha copiata, ma all'inizio mi sembrava che di morte se ne intendesse, e così l'ho preso come praticante, per fare i necrologi anticipati, e lui me ne ha fatto qualcuno, glieli ho pagati di tasca mia perché non volevo pesare sul giornale, ma sono tutti impubblicabili, perché quel ragazzo ha in testa la politica e ogni necrologio lo fa con una visione politica, per la verità penso che sia la sua ragazza a mettergli in testa queste idee, insomma, fascismo, socialismo, guerra civile di Spagna e cose del genere, sono tutti articoli impubblicabili, come le ho detto, e io finora l'ho pagato. Non c'è niente di male, rispose il dottor Cardoso, in fondo rischia solo i suoi soldi. Non è questo, sostiene di aver ammesso Pereira, il fatto è che mi è venuto un dubbio: e se quei due ragazzi avessero ragione? In tal caso avrebbero ragione loro, disse pacatamente il dottor Cardoso, ma è la Storia che lo dirà e non lei, dottor Pereira. Sì, disse Pereira, però se loro avessero ragione la mia vita non avrebbe senso, non avrebbe senso avere studiato lettere a Coimbra e avere sempre creduto che la letteratura fosse la cosa più importante del mondo, non avrebbe senso che io diriga la pagina culturale di questo giornale del pomeriggio dove non posso esprimere la mia opinione e dove devo pubblicare racconti dell'Ottocento francese, non avrebbe senso più niente, e è di questo che sento il bisogno di pentirmi, come se io fossi un'altra persona e non il Pereira che ha sempre fatto il giornalista, come se io dovessi rinnegare qualcosa.

Il dottor Cardoso chiamò la cameriera e ordinò due macedonie di frutta senza zucchero e senza gelato. Voglio farle una domanda, disse il dottor Cardoso, lei conosce i *médecins-philosophes*? No, ammise Pereira, non li conosco, chi sono? I principali sono Théodule Ribot e Pierre Janet, disse il dottor Cardoso, è sui loro testi che ho studiato a Parigi, sono medici e psicologi, ma anche filosofi, sostengono una teoria che mi pare interessante, quella della confederazione delle anime. Mi racconti questa teoria, disse Pereira. Ebbene, disse il dottor Cardoso, credere di essere "uno" che fa parte a sé, staccato dalla incommensurabile pluralità dei propri io, rappresenta un'illusione, peraltro ingenua, di un'unica anima di tradizione cristiana, il dottor Ribot e il dottor Janet vedono la personalità come una confederazione di varie anime, perché noi abbiamo varie anime dentro di noi, nevvero, una confederazione che si pone sotto il controllo di un io egemone. Il dottor Cardoso fece una piccola pausa e poi continuò: quella che viene chiamata la norma, o il nostro essere, o la normalità, è solo un risultato, non una premessa, e dipende dal controllo di un io egemone che si è imposto nella confederazione delle nostre anime; nel caso che sorga un altro io, più forte e più potente, codesto io spodesta l'io egemone e ne prende il posto, passando a dirigere la coorte delle anime, meglio la confederazione, e la preminenza si mantiene fino a quando non viene spodestato a sua volta da un altro io egemone, per un attacco diretto o per una paziente erosione. Forse, concluse il dottor Cardoso, dopo una paziente erosione c'è un io egemone che sta prendendo la testa della confederazione delle sue anime, dottor Pereira, e lei non può farci nulla, può solo eventualmente assecondarlo.

Il dottor Cardoso finì di mangiare la sua macedonia e si asciugò la bocca con il tovagliolo. E dunque cosa mi resterebbe da fare?, chiese Pereira. Nulla, rispose il dottor Cardoso, semplicemente aspettare, forse c'è un io egemone che in lei, dopo una lenta erosione, dopo tutti questi anni passati nel giornalismo a fare la cronaca nera credendo che la letteratura fosse la cosa più importante del mondo, forse c'è un io egemone che sta prendendo la guida della confederazione delle sue anime, lei lo lasci venire alla superficie, tanto non può fare diversamente, non ci riuscirebbe e entrerebbe in conflitto con se stesso, e se vuole pentirsi della sua vita si penta pure, e anche se ha voglia di raccontarlo a un sacerdote glielo racconti, insomma, dottor Pereira, se lei comincia a pensare che quei ragazzi hanno ragione e che la sua vita finora è stata inutile, lo pensi pure, forse da ora in avanti la sua vita non le sembrerà più inutile, si lasci guidare dal suo nuovo io egemone e non compensi il suo tormento con il cibo e con le limonate piene di zucchero.

Pereira finì di mangiare la sua macedonia di frutta e si tolse il tovagliolo che aveva messo intorno al collo. La sua teoria è molto interessante, disse, ci rifletterò sopra, mi piacerebbe prendere un caffè, che ne dice? Il caffè provoca insonnia, disse il dottor Cardoso, ma se lei non vuole dormire fatti suoi, i bagni di alghe sono due volte al giorno, alle nove del mattino e alle cinque del pomeriggio, mi piacerebbe che lei domattina fosse puntuale, sono certo che un bagno d'alghe le farà bene.

Buonanotte, mormorò Pereira. Si alzò e si allontanò. Fece qualche passo e poi si voltò. Il dottor Cardoso gli sorrideva. Sarò puntuale alle nove, sostiene di aver detto Pereira.

17

Sostiene Pereira che alle nove del mattino scese la scalinata che portava alla spiaggia della clinica. Nella scogliera che orlava la spiaggia erano state ricavate due enormi piscine di roccia nelle quali le onde dell'oceano entravano a loro piacimento. Le vasche erano piene di alghe lunghe, lucide e grasse, che formavano uno strato compatto a fior d'acqua, e alcune persone vi sguazzavano dentro. Accanto alle piscine sorgevano due capanni di legno dipinti di azzurro: gli spogliatoi. Pereira vide il dottor Cardoso che sorvegliava i pazienti immersi nelle vasche e dava loro istruzioni sul modo di muoversi. Pereira gli si avvicinò e gli augurò il buongiorno. Si sentiva di buonumore, sostiene, e gli era venuta voglia di entrare in quelle vasche, anche se sulla spiaggia faceva fresco e forse la temperatura dell'acqua non era l'ideale per un bagno. Chiese al dottor Cardoso di fornirgli un costume, perché lui si era dimenticato di portarlo con sé, si giustificò, e gli disse se poteva trovargliene uno all'antica, di quelli che coprono il ventre e una parte del petto. Il dottor Cardoso scosse il capo. Mi spiace, dottor Pereira, disse, ma dovrà vincere i suoi pudori, il benefico effetto delle alghe si esplica soprattutto a contatto con l'epidermide, e è necessario che esse massaggino il ventre e il petto, dovrà indossare un costume corto, un paio di calzoncini. Pereira si rassegnò e entrò nello spogliatoio. Lasciò i suoi pantaloni e la sua camicia color kaki nel guardaroba e uscì fuori. L'aria era veramente fresca, ma tonificante. Pereira provò l'acqua con un piede, ma non la trovò così gelata come si sarebbe aspettato. Entrò in acqua cautamente, provando un leggero ribrezzo per tutte quelle alghe che gli si incollavano intorno al corpo. Il dottor Cardoso venne sul bordo della vasca e cominciò a dargli delle istruzioni. Muova le braccia come se facesse degli esercizi ginnici, gli disse, e con le alghe si massaggi il ventre e il petto. Pereira eseguì compuntamente le istruzioni finché non sentì che aveva il fiato corto. Allora si fermò, con l'acqua fino al collo, e si mise a agitare le mani, lentamente. Come ha dormito stanotte?, gli chiese il dottor Cardoso. Bene, rispose Pereira, però ho letto fino a tardi, ho con me un libro di Alphonse Daudet, le piace Daudet? Lo conosco male, confessò il dottor Cardoso. Ho pensato di tradurre un racconto dei *Contes du lundi*, vorrei pubblicarlo sul "Lisboa", disse Pereira. Me lo racconti, disse il dottor Cardoso. Beh, disse Pereira, si chiama *La dernière classe*, parla di un maestro di un villaggio francese in Alsazia, i suoi allievi sono figli di contadini, poveri ragazzi che devono lavorare nei campi e che disertano le lezioni, e il maestro è disperato. Pereira fece qualche passo in avanti in modo che l'acqua non gli entrasse in bocca. E infine, continuò, si arriva all'ultimo giorno di scuola, la guerra franco-prussiana è finita, il maestro aspetta senza speranza che arrivi qualche allievo, e invece arrivano tutti gli uomini del paese, i contadini, i vecchi del villaggio, che vengono a rendere omaggio al maestro francese in partenza, perché sanno che l'indomani il loro suolo sarà occupato dai tedeschi, allora il maestro scrive sulla lavagna "Viva la Francia", e se ne va così, con le lacrime agli occhi, lasciando nell'aula una grande commozione. Pereira si tolse due lunghe alghe dalle braccia e chiese: che ne dice, dottor Cardoso? Bello, rispose il dottor Cardoso, ma non so se oggi in Portogallo sarà apprezzato leggere "Viva la Francia", visto i tempi che corrono, chissà che lei non stia dando spazio al suo nuovo io egemone, dottor Pereira, mi pare di intravedere un nuovo io egemone. Ma che dice, dottor Cardoso, disse Pereira, questo è un racconto dell'Ottocento, è acqua passata. Sì, disse il dottor Cardoso, ma anche così è pur sempre un racconto contro la Germania, e la Germania non si tocca in un paese come il nostro, ha visto come è stato imposto il saluto alle manifestazioni ufficiali, salutano tutti con il braccio teso, come i nazisti. Vedremo, disse Pereira, però il "Lisboa" è un giornale indipendente. E poi chiese: posso uscire? Ancora dieci minuti, replicò il dottor Cardoso, visto che c'è ci resti e faccia il tempo completo della terapia, ma mi scusi, cosa vuol dire un giornale indipendente in Portogallo? Un giornale che non è legato a nessun movimento politico, rispose Pereira. Può essere, disse il dottor Cardoso, ma il direttore del suo giornale, caro dottor Pereira, è un personaggio del regime, appare in tutte le manifestazioni ufficiali, e come tende il braccio, sembra che voglia lanciarlo come un giavellotto. Questo è vero, ammise Pereira, ma in fondo non è una cattiva persona, e per quanto riguarda la pagina culturale mi ha lasciato pieni poteri. È comodo, obiettò il dottor Cardoso, tanto c'è la censura preventiva, tutti i giorni, prima di uscire, le bozze del suo giornale passano attraverso l'imprimatur della censura preventiva, e se c'è qualcosa che non va stia pur tranquillo che non viene pubblicato, magari lasciano uno spazio bianco, mi è già capitato di vedere i giornali portoghesi con degli ampi spazi bianchi, fanno una grande rabbia e una grande malinconia. Capisco, disse Pereira, li ho già visti anch'io, però al "Lisboa" non è ancora successo. Può succedere, replicò con tono scherzoso il dottor Cardoso, questo dipenderà dall'io egemone che prenderà il sopravvento sulla sua confederazione di anime. E poi continuò: sa cosa le dico, dottor Pereira, se lei vuol aiutare l'io egemone che sta facendo capolino, forse deve andarsene altrove, lasciare questo paese, credo che avrà meno conflitti con se stesso, lei in fondo può farlo, è un professionista serio, parla bene il francese, è vedovo, non ha figli, cosa la lega a questo paese? Una vita passata, rispose Pereira, la nostalgia, e lei dottor Cardoso, perché non ritorna in Francia?, in fondo vi ha studiato e è di cultura francese. Non lo escludo, rispose il dottor Cardoso, sono in contatto con una clinica talassoterapica di Saint-Malo, può darsi che da un momento all'altro mi decida. Ora posso uscire?, chiese Pereira. Il tempo è passato senza che ce ne rendessimo conto, disse il dottor Cardoso, è rimasto in terapia quindici minuti più del necessario, vada pure a rivestirsi, che ne direbbe se pranzassimo insieme? Volentieri, concordò Pereira.

Quel giorno Pereira mangiò in compagnia del dottor Cardoso, sostiene, e sotto suo consiglio prese un nasello bollito. Parlarono di letteratura, di Maupassant e di Daudet, e della Francia, che era un grande paese. E poi Pereira si ritirò in camera sua e fece un riposino di un quarto d'ora, si appisolò soltanto, e poi si mise a guardare le strisce di luce e d'ombra delle persiane sul soffitto. A metà pomeriggio si alzò, fece una doccia, si rivestì, si mise la sua cravatta nera e si sedette davanti al ritratto di sua moglie. Ho trovato un medico intelligente, gli disse, si chiama Cardoso, ha studiato in Francia, mi ha illustrato una sua teoria sull'anima umana, anzi, è una teoria filosofica francese, pare che dentro di noi ci sia una confederazione di anime e che ogni tanto c'è un io egemone che prende la guida della confederazione, il dottor Cardoso sostiene che sto cambiando il mio io egemone, così come le serpi cambiano pelle, e che questo io egemone cambierà la mia vita, non so fino a che punto questo sia vero e per la verità non ne sono troppo convinto, beh, pazienza, staremo a vedere.

Poi si mise al tavolo e cominciò a tradurre L'ultima lezione di Daudet. Si era portato il suo Larousse, che gli fece molto comodo. Ma ne tradusse solo una pagina, perché voleva farlo con calma e perché quel racconto gli teneva compagnia. E infatti, per tutta la settimana che Pereira restò alla clinica talassoterapica, passò tutti i pomeriggi a tradurre il racconto di Daudet, sostiene.

Fu una bella settimana, di diete, di terapie e di riposo, allietata dalla presenza del dottor Cardoso con il quale ebbe sempre conversazioni vivaci e interessanti, soprattutto di letteratura. Fu una settimana che scivolò via in un attimo, il sabato sul "Lisboa" uscì la prima puntata di *Honorine* di Balzac e il dottor Cardoso gli fece i suoi complimenti. Il direttore non lo chiamò mai, il che significava che al giornale andava tutto bene. Anche Monteiro Rossi non si fece mai vivo, e neppure Marta. Negli ultimi giorni Pereira ormai non pensava quasi più a loro. E quando abbandonò la clinica, per prendere il treno per Lisbona, si sentiva tonificato e in forma, e era dimagrito quattro chili, sostiene Pereira.

18

Rientrò a Lisbona e una buona parte di agosto se ne andò come se niente fosse, sostiene Pereira. La sua donna di servizio non era ancora rientrata, trovò una cartolina da Setúbal nella sua cassetta della posta che diceva: «Tornerò a metà settembre perché mia sorella deve fare un'operazione alle vene varicose, i migliori complimenti, Piedade».

Pereira prese di nuovo possesso del suo appartamento. Per fortuna il tempo era cambiato e non faceva un gran caldo. La sera si alzava un'impetuosa brezza atlantica che obbligava a mettere la giacca. Ritornò in redazione e non trovò novità. La portiera non gli teneva più il muso e lo salutava con maggior cordialità, ma sul pianerottolo continuava a aleggiare un terribile puzzo di fritto. La posta era scarsa. Trovò la bolletta della luce e la fece pervenire in redazione centrale. Poi c'era una lettera che veniva da Chaves, di una signora cinquantenne che scriveva racconti per l'infanzia e che ne proponeva uno al "Lisboa". Era un racconto di fate e di elfi, che non aveva niente a che fare con il Portogallo e che la signora doveva aver copiato da qualche novella irlandese. Pereira le scrisse una lettera garbata, invitandola a ispirarsi al folclore portoghese, perché, le disse, il "Lisboa" si rivolgeva a lettori portoghesi, non a lettori anglosassoni. Verso la fine del mese arrivò una lettera dalla Spagna. Era indirizzata a Monteiro Rossi, e l'intestazione diceva: Señor Monteiro Rossi, c/o dottor Pereira, Rua Rodrigo da Fonseca 66, Lisboa, Portugal. Pereira fu tentato di aprirla. Quasi si era dimenticato di Monteiro Rossi, o almeno, così credeva, e trovò incredibile che il giovanotto si facesse indirizzare lettere presso la redazione culturale del "Lisboa". Poi la mise nella cartellina "Necrologi" senza aprirla. Il giorno pranzava al Café Orquídea, però non prendeva più omelettes alle erbe aromatiche, perché il dottor Cardoso gliele aveva proibite, e non beveva più limonate, prendeva insalate di pesce e beveva acqua minerale. *Honorine* di Balzac era stata pubblicata per intero, e aveva riscosso un gran successo di pubblico. Pereira sostiene che ricevette perfino due telegrammi, uno da Tavira e uno da Estremoz che dicevano, il primo che il racconto era straordinario, e l'altro che il pentimento è una cosa a cui tutti dobbiamo pensare, e entrambi finivano con la parola grazie. Pereira pensò che qualcuno forse aveva raccolto il messaggio nella bottiglia, chissà, e si preparò a fare la redazione definitiva del racconto di Alphonse Daudet. Il direttore gli telefonò una mattina per congratularsi del racconto di Balzac, perché disse che la redazione principale aveva ricevuto una pioggia di lettere di complimenti. Pereira pensò che il direttore non poteva cogliere il messaggio nella bottiglia, e si rallegrò con se stesso. In fondo quello era davvero un messaggio cifrato, e solo chi poteva ascoltarlo poteva riceverlo. Il direttore non poteva né ascoltarlo né riceverlo. E ora, dottor Pereira, chiese il direttore, e ora cosa ci prepara di nuovo? Ho appena finito di tradurre un racconto di Daudet, rispose Pereira, mi auguro che possa andare bene. Spero che non sia *L'Arlésienne*, replicò il direttore rivelando con soddisfazione una delle sue poche conoscenze letterarie, è un racconto un po' *osé*, e non so se andrebbe bene per i nostri lettori. No, si limitò a rispondere Pereira, è un racconto dei *Contes du lundi*, si chiama *L'ultima lezione*, non so se lei lo conosce, è un racconto patriottico. Non lo conosco, rispose il direttore, ma se è un racconto patriottico va bene, abbiamo tutti bisogno di patriottismo di questi tempi, il patriottismo fa bene. Pereira lo salutò e riattaccò. Stava prendendo il dattiloscritto per portarlo in tipografia quando il telefono squillò di nuovo. Pereira era sulla porta e aveva già indossato la giacca. Pronto, disse una voce femminile, buongiorno dottor Pereira, sono Marta, avrei bisogno di vederla. Pereira sentì un tuffo al cuore e chiese: Marta, come sta, come sta Monteiro Rossi? Poi le racconterò, dottor Pereira, disse Marta, dove la posso incontrare stasera? Pereira ci pensò un attimo e lì per lì fu per dire che passasse da casa sua, poi pensò che a casa sua era meglio di no e rispose: al Café Orquídea, alle otto e mezzo. D'accordo, disse Marta, io mi sono tagliata i capelli e li ho tinti di biondo, ci vediamo al Café Orquídea alle otto e mezzo, comunque Monteiro Rossi sta bene e le manda un articolo.

Pereira uscì per andare in tipografia, e si sentiva inquieto, sostiene. Pensò di rientrare in redazione e di aspettare l'ora di cena, ma capì che aveva bisogno di rientrare a casa sua e di fare un bagno fresco. Prese un taxi e lo obbligò a salire la rampa che portava fino al suo palazzo, di solito i taxi non volevano addentrarsi su per quella rampa perché era difficile fare manovra, così che Pereira dovette promettere una mancia, perché si sentiva spossato, sostiene. Entrò in casa e per prima cosa riempì la vasca di acqua fresca. Vi si immerse e si strofinò con cura il ventre, come gli aveva insegnato a fare il dottor Cardoso. Poi indossò l'accappatoio e andò nell'ingresso davanti al ritratto di sua moglie. Si è fatta di nuovo viva Marta, gli disse, pare che si sia tagliata i capelli e se li sia tinti di biondo, chissà perché, mi porta un articolo di Monteiro Rossi, ma il Monteiro Rossi è evidentemente ancora per i fatti suoi, quei ragazzi mi preoccupano, beh, pazienza, poi ti racconterò gli sviluppi.

Alle otto e trentacinque, sostiene Pereira, entrò nel Café

Orquídea. L'unico motivo per cui riconobbe Marta in quella magra ragazza bionda dai capelli corti che stava vicino al ventilatore fu perché portava lo stesso vestito di sempre, altrimenti non la avrebbe riconosciuta proprio. Marta sembrava trasformata, quei capelli biondi e corti, con la frangetta e le virgole sulle orecchie, le davano un'aria sbarazzina e straniera, magari francese. E poi doveva essere dimagrita di almeno dieci chili. Le sue spalle, che Pereira ricordava dolci e tonde, mostravano due scapole ossute, come due ali di pollo. Pereira le sedette di fronte e le disse: buonasera Marta, cosa le è successo? Ho deciso di modificare la mia fisionomia, rispose Marta, in certe circostanze è necessario e per me si era reso necessario diventare un'altra persona.

Chissà perché a Pereira venne in mente di farle una domanda. Non saprebbe dire perché gliela fece. Forse perché era troppo bionda e troppo innaturale e lui stentava a riconoscerla per la ragazza che aveva conosciuto, forse perché lei ogni tanto gettava intorno un'occhiata furtiva come se aspettasse qualcuno o avesse paura di qualcosa, ma il fatto è che Pereira le chiese: si chiama ancora Marta? Per lei sono Marta, certo, rispose Marta, ma ho un passaporto francese, mi chiamo Lise Delaunay, di professione faccio la pittrice e in Portogallo ci sono per dipingere vedute a acquarello, ma la vera ragione è il turismo.

Pereira sentì un grande desiderio di ordinare un'omelette alle erbe aromatiche e di bere una limonata, sostiene. Che ne direbbe se prendessimo due omelettes alle erbe aromatiche?, chiese a Marta. Con piacere, rispose Marta, ma prima berrei volentieri un porto secco. Anch'io, disse Pereira, e ordinò due porto secchi. Sento odore di guai, disse Pereira, lei è nei pasticci, Marta, me lo confessi pure. Diciamo di sì, rispose Marta, ma sono pasticci che mi piacciono, mi ci trovo a mio agio, in fondo è la vita che ho scelto. Pereira allargò le braccia. Se è contenta lei, disse, e Monteiro Rossi, è nei guai anche lui, immagino, perché non si è fatto più vivo, che cosa gli sta succedendo? Posso parlare di me ma non di Monteiro Rossi, disse Marta, io rispondo solo per me, lui non si è fatto vivo con lei finora perché aveva dei problemi, per ora è ancora fuori Lisbona, gira per l'Alentejo, ma i suoi problemi sono forse maggiori dei miei, comunque ha anche bisogno di soldi e per questo le manda un articolo, dice che è una ricorrenza, il denaro se vuole può darlo a me, ci penserò io a farglielo arrivare.

Figuriamoci, i suoi articoli, avrebbe voluto rispondere Pereira, necrologi o ricorrenze fa lo stesso, non faccio altro che pagarlo di tasca mia, il Monteiro Rossi, non so ancora perché non lo licenzio, io gli avevo proposto di fare il giornalista, gli avevo prospettato una carriera. Ma non disse niente di tutto questo. Tirò fuori il portafoglio e prese due banconote. Gliele recapiti da parte mia, disse, e ora mi dia l'articolo. Marta prese un foglio dalla borsa e glielo tese. Senta Marta, disse Pereira, vorrei premetterle che per certe cose può contare su di me, anche se vorrei restare estraneo ai vostri problemi, come sa non mi interesso di politica, comunque se sente Monteiro Rossi, gli dica di farsi vivo, forse posso essere d'aiuto anche a lui, a mio modo. Lei è un grande aiuto per tutti noi, dottor Pereira, disse Marta, la nostra causa non lo dimenticherà. Finirono di mangiare le omelettes e Marta disse che non si poteva trattenere di più. Pereira la salutò e Marta se ne andò sgusciando via con delicatezza. Pereira restò al tavolino e ordinò un'altra limonata. Avrebbe voluto parlare di tutto quello con padre António o con il dottor Cardoso, ma padre António a quell'ora stava sicuramente dormendo e il dottor Cardoso era a Parede. Bevve la sua limonata e pagò il conto. Cosa sta succedendo?, chiese al cameriere quando si avvicinò. Cose turche, rispose Manuel, cose turche, dottor Pereira. Pereira gli pose la mano sul braccio. Cose turche in che senso?, chiese. Non sa cosa sta succedendo in Spagna?, rispose il cameriere. Non lo so, disse Pereira. Pare che ci sia un grande scrittore francese che ha fatto una denuncia sulla repressione franchista in Spagna, disse Manuel, è scoppiato uno scandalo con il Vaticano. E come si chiama questo scrittore francese?, chiese Pereira. Beh, rispose Manuel, ora non me lo ricordo, è uno scrittore che lei sicuramente conosce, si chiama Bernan, Bernadette, una cosa del genere. Bernanos, esclamò Pereira, si chiama Bernanos!? Esattamente, rispose Manuel, si chiama proprio così. È un grande scrittore cattolico, disse con fierezza Pereira, lo sapevo che avrebbe preso posizione, ha un'etica di ferro. E gli venne l'idea che forse sul "Lisboa" poteva pubblicare un paio di capitoli dal *Journal d'un curé de campagne*, che non era stato ancora tradotto in portoghese.

Salutò Manuel e gli lasciò una buona mancia. Avrebbe avuto voglia di parlare con padre António, ma padre António a quell'ora dormiva, si alzava tutte le mattine alle sei per celebrare messa alla Chiesa das Mercês, sostiene Pereira.

19

L'indomani mattina Pereira si alzò prestissimo, sostiene, e andò a trovare padre António. Lo sorprese nella sagrestia della chiesa, mentre si stava togliendo i paramenti sacri. La sagrestia era freschissima, sulle pareti c'erano quadri devoti e ex voto.

Buongiorno padre António, disse Pereira, eccomi qua. Pereira, borbottò padre António, non ti sei più fatto vedere, ma dove ti eri ficcato? Sono stato a Parede, si giustificò Pereira, ho passato una settimana a Parede. A Parede!?, esclamò padre António, e cosa ci facevi a Parede? Sono stato in una clinica talassoterapica, rispose Pereira, a fare bagni d'alghe e cure naturali. Padre António gli chiese di aiutarlo a togliersi la stola e gli disse: certe idee ti vengono in mente. Sono dimagrito quattro chili, aggiunse Pereira, e ho conosciuto un medico che mi ha raccontato una teoria interessante sull'anima. È per questo che sei venuto?, chiese padre António. In parte, ammise Pereira, ma volevo anche parlare di altre cose. E allora parla, disse padre António. Beh, cominciò Pereira, è una teoria di due filosofi francesi che sono anche psicologi, sostengono che noi non abbiamo un'anima sola ma una confederazione di anime che viene guidata da un io egemone, e ogni tanto questo io egemone cambia, così che noi raggiungiamo una norma, ma non è una norma stabile, è una norma variabile. Stai bene a sentire, Pereira, disse padre António, io sono un francescano, sono una persona semplice, ma mi pare che tu stia diventando eretico, l'anima umana è unica e indivisibile, è Dio che ce l'ha data. Sì, replicò Pereira, però se al posto dell'anima, come vogliono i filosofi francesi, ci mettiamo la parola personalità, ecco che l'eresia non c'è più, io mi sono convinto che non abbiamo una personalità sola, abbiamo tante personalità che convivono fra di loro sotto la guida di un io egemone. Mi sembra una teoria capziosa e pericolosa, obiettò padre António, la personalità dipende dall'anima, e l'anima è unica e indivisibile, il tuo discorso è in odore di eresia. Eppure io mi sento diverso da qualche mese fa, confessò Pereira, penso cose che non avrei mai pensato, faccio cose che non avrei mai fatto. Ti sarà successo qualcosa, disse padre António. Ho conosciuto due persone, disse Pereira, un ragazzo e una ragazza, e conoscendoli forse sono cambiato. Succede, rispose padre António, le persone ci influenzano, succede. Non so come possano influenzarmi, disse Pereira, sono due poveri romantici senza futuro, semmai dovrei essere io a influenzarli, sono io che li sostengo, anzi il ragazzo praticamente lo mantengo io, non faccio altro che dargli soldi di tasca mia, lo ho assunto come praticante, ma non mi scrive un articolo che sia pubblicabile, senta padre António, crede che mi farebbe bene confessarmi? Hai commesso peccati contro la carne?, chiese padre António. L'unica carne che conosco è quella che mi porto addosso, rispose Pereira. Allora senti, Pereira, concluse padre António, non farmi perdere tempo, perché per confessare devo concentrarmi e non mi voglio stancare, fra poco devo andare a visitare i miei ammalati, parliamo del più e del meno e delle tue cose in generale, ma non sotto confessione, come amici.

Padre António si sedette su una panca della sagrestia e Pereira gli si mise accanto. Mi ascolti padre António, disse

144

Pereira, io credo in Dio padre onnipotente, ricevo i sacramenti, osservo i comandamenti e cerco di non peccare, anche se qualche volta la domenica non vado a messa, ma non è per malafede, è solo per pigrizia, credo di essere un buon cattolico e mi stanno a cuore gli insegnamenti della Chiesa, però ora sono un po' confuso e poi, per quanto faccia il giornalista, non sono informato su quello che succede nel mondo, e ora sono molto perplesso perché mi pare che ci sia una grande polemica sulle posizioni degli scrittori cattolici francesi a proposito della guerra civile spagnola, vorrei che lei mi mettesse un po' al corrente, padre António, perché lei le cose le conosce e io vorrei sapere come comportarmi per non essere eretico. Ma in che mondo vivi, Pereira, esclamò padre António. Beh, cercò di giustificarsi Pereira, il fatto è che ho passato una settimana a Parede e poi questa estate non ho mai comprato un giornale straniero, e dai giornali portoghesi non si riesce a sapere molto, le uniche novità che conosco sono le chiacchiere di caffè.

Sostiene Pereira che padre António si alzò in piedi e gli si mise di fronte con un'espressione che gli parve minacciosa. Senti Pereira, disse, il momento è grave e ognuno deve fare le sue scelte, io sono un uomo di Chiesa e devo ubbidire alla gerarchia, ma tu sei libero di fare le tue scelte personali, anche se sei cattolico. E allora mi spieghi tutto, implorò Pereira, perché mi piacerebbe fare le mie scelte, ma non sono al corrente. Padre António si soffiò il naso, incrociò le mani sul petto e chiese: lo conosci il problema del clero basco? Non lo conosco, ammise Pereira. Tutto è cominciato con il clero basco, disse padre António, dopo il bombardamento di Guernica il clero basco, che era considerato la gente più cristiana di Spagna, si è schierato con la repubblica. Padre António si soffiò il naso come se fosse commosso e continuò: nella primavera dell'anno scorso due illustri scrittori cattolici francesi, François Mauriac e Jacques Maritain, hanno pubblicato un manifesto in difesa dei baschi. Mauriac!, esclamò

Pereira, lo dicevo io che bisognava preparare un eventuale necrologio per Mauriac, lui è un uomo in gamba ma Monteiro Rossi non è riuscito a farmelo. Chi è Monteiro Rossi?, chiese padre António. È il praticante che ho assunto, rispose Pereira, ma non riesce a farmi un necrologio per quegli scrittori cattolici che hanno preso buone posizioni politiche. Ma perché vuoi fargli un necrologio, chiese padre António, povero Mauriac, lascialo campare, di lui abbiamo bisogno, perché lo vuoi far morire? Oh, se è per questo non voglio, disse Pereira, spero che campi fino a cent'anni, ma supponiamo che da un momento all'altro venisse a mancare, almeno in Portogallo ci sarebbe un giornale che gli renderebbe tempestivo omaggio, e questo giornale sarebbe il "Lisboa", comunque mi scusi, padre António, vada avanti. Bene, disse padre António, il problema si è complicato con il Vaticano, che ha dichiarato che migliaia di religiosi spagnoli erano stati uccisi dai repubblicani, che i cattolici baschi erano dei "cristiani rossi" e che andavano scomunicati, e così ha fatto, e a questo si è aggiunto Claudel, il famoso Paul Claudel, scrittore cattolico anche lui, che ha scritto un'ode "Aux Martyrs Espagnols" come prefazione in versi a un mefitico opuscolo di propaganda di un agente nazionalista di Parigi. Claudel, disse Pereira, Paul Claudel? Padre António si soffiò il naso un'altra volta. Proprio lui, disse, tu come lo definiresti, Pereira? Là per là non saprei, rispose Pereira, anche lui è un cattolico, ha preso una posizione differente, ha fatto le sue scelte. Ma come là per là non sapresti, Pereira, esclamò padre António, quel Claudel è un figlio di puttana, ecco cos'è, e mi dispiace essere in un luogo sacro a dire queste parole, perché vorrei dirtele in piazza. E poi?, chiese Pereira. Poi, continuò padre António, poi le alte gerarchie del clero spagnolo, con in testa il cardinale Gomá, arcivescovo di Toledo, hanno preso la decisione di mandare una lettera aperta ai vescovi di tutto il mondo, hai capito, Pereira, ai vescovi di tutto il mondo, come se i vescovi di tutto il mondo fossero dei fascistoni come loro, e dicono che migliaia di cristiani in Spagna hanno preso le armi sotto la propria responsabilità personale per salvare i princìpi della religione. Sì, disse Pereira, ma i martiri spagnoli, i religiosi uccisi. Padre António stette un attimo in silenzio e poi disse: forse saranno martiri, comunque era tutta gente che tramava contro la repubblica, e poi senti, la repubblica era costituzionale, era stata votata dal popolo, Franco ha fatto un colpo di stato, è un bandito. E Bernanos, chiese Pereira, cosa c'entra Bernanos in tutto questo?, anche lui è uno scrittore cattolico. Lui è l'unico che conosce davvero la Spagna, disse padre António, dal trentaquattro fino all'anno scorso è stato in Spagna, ha scritto sui massacri dei franchisti, il Vaticano non lo può sopportare perché lui è un vero testimone. Sa padre António, disse Pereira, ho pensato di pubblicare sulla pagina culturale del "Lisboa" uno o due capitoli dal *Journal d'un curé de campagne*, che gliene pare come idea? Mi pare un'idea magnifica, rispose padre António, ma non so se te la lasceranno pubblicare, Bernanos non è molto amato in questo paese, non ha scritto cose tenere sul battaglione Viriato, sul contingente militare portoghese che è andato in Spagna, a combattere per Franco, e ora scusami Pereira, ma devo recarmi all'ospedale, i miei malati mi aspettano.

Pereira si alzò e si accomiatò. Arrivederci padre António, disse, scusi se le ho fatto perdere tutto questo tempo, la prossima volta mi verrò a confessare. Non ne hai bisogno, replicò padre António, prima vedi di commettere qualche peccato e poi vieni, non mi fare perdere tempo inutilmente.

Pereira uscì e si inerpicò a fatica su per la Rua da Imprensa Nacional. Quando arrivò davanti alla Chiesa di San Mamede si sedette su una panchina della piccola piazza. Davanti alla chiesa si fece il segno della croce, poi allungò le gambe e si mise a prendere un po' di fresco. Avrebbe avuto voglia di bere una limonata e proprio lì accanto c'era un caffè. Ma si contenne. Si limitò a riposarsi all'ombra, si tolse le scarpe e prese un po' di fresco ai piedi. Poi si avviò a passo lento verso la redazione pensando ai suoi ricordi. Sostiene Pereira che pensò alla sua infanzia, un'infanzia passata a Póvoa do Varzim, con i suoi nonni, un'infanzia felice, o che lui almeno considerava felice, ma della sua infanzia non vuole parlare, perché sostiene che non ha niente a che vedere con questa storia e con quella giornata di fine agosto in cui l'estate stava declinando e lui si sentiva così confuso.

Sulle scale trovò la portiera che lo salutò cordialmente e che gli disse: buongiorno dottor Pereira, niente posta per lei stamattina e nemmeno telefonate. Come, telefonate, chiese Pereira stupito, è entrata in redazione? No, disse Celeste con aria trionfante, ma stamani sono venuti gli impiegati dei telefoni accompagnati da un commissario, hanno collegato il suo telefono con la portineria, hanno detto che se in redazione non c'è nessuno è bene che qualcuno riceva le telefonate, dicono che io sono una persona di fiducia. Lei è una persona di eccessiva fiducia per questa gente, avrebbe voluto rispondere Pereira, ma non disse niente. Chiese soltanto: e se devo telefonare? Deve passare dal centralino, rispose Celeste con soddisfazione, e ora il suo centralino sono io, è a me che deve chiedere i numeri, e pensare che io non avrei voluto, dottor Pereira, lavoro tutta la mattina e devo preparare il pranzo per quattro persone, perché ho quattro bocche da sfamare, io, e a parte i figli, che si contentano, ho un marito molto esigente, quando torna dalla questura, alle quattordici, ha una fame da lupo e è molto esigente. Si sente dall'odore di fritto che aleggia sulle scale, rispose Pereira, e non disse altro. Entrò in redazione, staccò il ricevitore del telefono e prese di tasca il foglio che gli aveva consegnato Marta la sera prima. Era un articolo scritto a mano, con inchiostro azzurro, e in cima c'era scritto: Ricorrenze. Diceva: «Otto anni fa, nel 1930, moriva a Mosca il grande poeta Vladímir Majakovskji. Si uccise con un colpo di pistola, per delusioni d'amore. Era figlio di un ispettore forestale. Dopo aver aderito giovanissimo al partito bolscevico subì tre arresti e fu torturato dalla polizia zarista. Grande propagandista della Russia rivoluzionaria, fece parte dei futuristi russi, che si distinguono politicamente dai futuristi italiani, e intraprese una tournée nel suo paese a bordo di una locomotiva, recitando per i villaggi i suoi versi rivoluzionari. Suscitò l'entusiasmo del popolo. Fu artista, disegnatore, poeta e uomo di teatro. La sua opera non è tradotta in portoghese, ma può essere comprata in francese alla libreria di Rua do Ouro di Lisbona. Fu amico del grande cineasta Ejšenstejn col quale collaborò in varie pellicole. Ci lascia un'opera sterminata di prosa, poesia e teatro. Celebriamo qui il grande democratico e il fervido antizarista».

Pereira, anche se non faceva troppo caldo sentì un velo di sudore che gli fasciava il collo. Quell'articolo avrebbe voluto cestinarlo, perché era troppo stupido. Invece aprì la cartellina dei "Necrologi", e ve lo infilò. Poi si mise la giacca e pensò che era l'ora di rientrare a casa sua, sostiene.

20

Quel sabato uscì sul "Lisboa" la traduzione dell'*Ultima lezione* di Alphonse Daudet. Alla censura avevano lasciato passare tranquillamente il pezzo, e Pereira sostiene di aver pensato che in fondo si poteva scrivere viva la Francia e che il dottor Cardoso non aveva ragione. Anche questa volta Pereira non firmò la traduzione. Sostiene che lo fece perché non gli sembrava bello che il direttore di una pagina culturale firmasse la traduzione di un racconto, avrebbe lasciato capire a tutti i lettori che in fondo la pagina la faceva lui, e questo gli dava fastidio. Fu una questione d'orgoglio, sostiene.

Pereira lesse il racconto con grande soddisfazione, erano le dieci del mattino, era domenica, e lui era già in redazione perché si era alzato molto presto, aveva cominciato a tradurre il primo capitolo del *Journal d'un curé de campagne* di Bernanos e ci stava lavorando di buona lena. In quel momento squillò il telefono. Pereira di solito lo staccava, perché da quando era collegato con la portiera detestava che gli passasse le telefonate, ma quella mattina si era dimenticato di staccarlo. Pronto dottor Pereira, disse la voce di Celeste, c'è una chiamata per lei, la vogliono dalla clinica talassopirica di Parede. Talassoterapica, corresse Pereira. Insomma una cosa del genere, disse la voce di Celeste, vuole la comunicazione o devo dire che non c'è? Me la passi, disse Pereira. Sentì il clic di un commutatore e una voce disse: pronto, sono il dottor Cardoso, vorrei parlare con il dottor Pereira. Sono io, rispose Pereira, buongiorno dottor Cardoso, piacere di sentirla. Il piacere è tutto mio, disse il dottor Cardoso, come sta, dottor Pereira, sta seguendo la mia dieta? Faccio il possibile, ammise Pereira, faccio il possibile ma non è facile. Senta, dottor Pereira, disse il dottor Cardoso, sto per prendere un treno per Lisbona, ieri ho letto il racconto di Daudet, è veramente magnifico, mi piacerebbe parlarne con lei, che ne direbbe se ci vedessimo a pranzo? Conosce il Café Orquídea?, chiese Pereira, è nella Rua Alexandre Herculano, dopo la macelleria ebraica. Lo conosco, disse il dottor Cardoso, a che ora, dottor Pereira? Alle tredici, disse Pereira, se per lei va bene. Perfetto, rispose il dottor Cardoso, alle tredici, arrivederci. Pereira era sicuro che Celeste aveva ascoltato tutta la conversazione, ma non gliene importò più di tanto, non aveva detto niente di cui doveva temere. Continuò a tradurre il primo capitolo del romanzo di Bernanos e questa volta staccò il telefono, sostiene. Lavorò fino alle tredici meno un quarto, poi indossò la giacca, si mise la cravatta in tasca e uscì.

Quando entrò al Café Orquídea il dottor Cardoso non era ancora arrivato. Pereira fece preparare il tavolo vicino al ventilatore e vi si accomodò. Per aperitivo ordinò una limonata, perché aveva sete, ma senza zucchero. Quando il cameriere arrivò con la limonata Pereira gli chiese: che notizie ci sono, Manuel? Notizie contrastanti, rispose il cameriere, pare che ora in Spagna ci sia un certo equilibrio, i nazionalisti hanno conquistato il Nord, ma i repubblicani la vincono al centro, pare che la quindicesima brigata internazionale si sia comportata valorosamente a Saragozza, il centro è in mano alla repubblica e gli italiani che appoggiano Franco si stanno comportando in maniera ignobile. Pereira sorrise e chiese: lei per chi tiene, Manuel? A volte per l'uno a volte per l'altro, rispose il cameriere, perché sono forti tutti e due, ma questa storia dei nostri ragazzi della Viriato che sono andati a combattere contro i repubblicani non mi piace, in fondo anche noi siamo una repubblica, abbiamo cacciato il re nel millenovecentodieci, non vedo quale sia il motivo di combattere contro una repubblica. Giusto, approvò Pereira.

In quel momento entrò il dottor Cardoso. Pereira lo aveva sempre visto con il camice bianco, e a vederlo così, vestito normalmente, gli parve più giovane, sostiene. Il dottor Cardoso indossava una camicia a righe e una giacca chiara e sembrava un po' accaldato. Il dottor Cardoso gli sorrise e Pereira ricambiò il sorriso. Si strinsero la mano e il dottor Cardoso si mise a sedere. Formidabile, dottor Pereira, disse il dottor Cardoso, formidabile, è proprio un bellissimo racconto, non credevo che Daudet avesse tanta forza, sono venuto per farle le mie congratulazioni, però peccato che lei non abbia firmato la traduzione, avrei voluto vedere il suo nome fra parentesi sotto il racconto. Pereira gli spiegò pazientemente che lo aveva fatto per umiltà, anzi, per orgoglio, perché non voleva che i lettori capissero che quella pagina la faceva interamente lui che ne era il direttore, voleva dare l'impressione che il giornale avesse altri collaboratori, che fosse un giornale come si deve, insomma: lo aveva fatto per il "Lisboa".

Ordinarono due insalate di pesce. Pereira avrebbe preferito un'omelette alle erbe aromatiche, ma non ebbe il coraggio di chiederla di fronte al dottor Cardoso. Forse il suo nuovo io egemone ha guadagnato qualche punto, mormorò il dottor Cardoso. In che senso?, chiese Pereira. Nel senso che lei ha potuto scrivere viva la Francia, disse il dottor Cardoso, anche se per interposta persona. È stata una soddisfazione, ammise Pereira, e poi, fingendo di essere informato, continuò: lo sa che la quindicesima brigata internazionale ha la meglio al centro della Spagna?, pare che si sia comportata eroicamente a Saragozza. Non si faccia troppe illusioni, dottor Pereira, replicò il dottor Cardoso, Mussolini ha inviato a

Franco una quantità di sottomarini e i tedeschi lo sostengono con l'aviazione, i repubblicani non ce la faranno. Però hanno i sovietici con loro, obiettò Pereira, le brigate internazionali, tutti i popoli che sono piovuti in Spagna a dare manforte ai repubblicani. Io non mi farei troppe illusioni, ripeté il dottor Cardoso, volevo dirle che ho raggiunto un'intesa con la clinica di Saint-Malo, parto fra quindici giorni. Non mi lasci, dottor Cardoso, avrebbe voluto dire Pereira, la prego non mi lasci. E invece disse: non ci lasci, dottor Cardoso, non lasci la nostra gente, questo paese ha bisogno di persone come lei. Purtroppo la verità è che non ne ha bisogno, rispose il dottor Cardoso, o almeno io non ho bisogno di lui, credo che sia meglio che me ne vada in Francia prima del disastro. Il disastro, chiese Pereira, che disastro? Non so, rispose il dottor Cardoso, mi sto aspettando un disastro, un disastro generale, ma non voglio metterle ansia, dottor Pereira, lei forse sta elaborando il suo nuovo io egemone e ha bisogno di calma, io intanto me ne vado, ma senta, i suoi ragazzi come vanno?, i ragazzi che ha conosciuto e che collaborano al suo giornale. Solo uno collabora con me, rispose Pereira, ma non mi ha ancora fatto un articolo pubblicabile, si figuri che ieri me ne ha mandato uno su Majakovskji celebrando il rivoluzionario bolscevico, non so perché continuo a dargli del denaro per articoli impubblicabili, forse perché è nei guai, di questo sono sicuro, e anche la sua ragazza è nei guai, e io sono il loro unico punto di riferimento. Lei li sta aiutando, disse il dottor Cardoso, me ne rendo conto, ma meno di quanto vorrebbe effettivamente fare, forse se il suo nuovo io egemone verrà a galla lei farà qualcosa di più, dottor Pereira, mi scusi se sono franco con lei. E allora senta dottor Cardoso, disse Pereira, ho assunto questo ragazzo per fare necrologi anticipati e ricorrenze, mi ha solo mandato articoli deliranti e rivoluzionari, come se non sapesse in che paese viviamo, gli ho dato sempre soldi di tasca mia, per non pesare sul giornale e perché il direttore era meglio non coinvolgerlo, l'ho protetto, ho nascosto suo cugino, che mi sembra un poveraccio e che combatte nelle brigate internazionali in Spagna, ora continuo a mandargli soldi e lui vaga per l'Alentejo, cosa posso fare di più? Potrebbe andarlo a trovare, rispose con semplicità il dottor Cardoso. Andarlo a trovare, esclamò Pereira, inseguirlo in Alentejo, nei suoi spostamenti clandestini, e poi andarlo a trovare dove, se non so neppure dove abita? La sua ragazza lo saprà senz'altro, disse il dottor Cardoso, sono certo che la sua ragazza lo sa ma non glielo dice perché non ha completa fiducia in lei, dottor Pereira, però forse lei potrebbe catturare la sua fiducia, farsi vedere meno circospetto, lei ha un forte superego, dottor Pereira, e questo superego sta combattendo con il suo nuovo io egemone, lei è in conflitto con se stesso in questa battaglia che si sta agitando nella sua anima, lei dovrebbe abbandonare il suo superego, dovrebbe lasciare che se ne andasse al suo destino come un detrito. E di me cosa resterebbe?, chiese Pereira, io sono quello che sono, con i miei ricordi, con la mia vita trascorsa, le memorie di Coimbra e di mia moglie, una vita passata a fare il cronista in un grande giornale, di me cosa resterebbe? L'elaborazione del lutto, disse il dottor Cardoso, è un'espressione freudiana, mi scusi, io sono un sincretista e ho pescato un po' di qua e un po' di là, ma lei ha bisogno di elaborare un lutto, ha bisogno di dire addio alla sua vita passata, ha bisogno di vivere nel presente, un uomo non può vivere come lei, dottor Pereira, pensando solo al passato. E le mie memorie, chiese Pereira, e quello che ho vissuto? Sarebbero solo una memoria, rispose il dottor Cardoso, ma non invadrebbero in maniera così prepotente il suo presente, lei vive proiettato nel passato, lei è qui come se fosse a Coimbra trent'anni fa e sua moglie fosse ancora viva, se lei continua così diventerà una sorta di feticista dei ricordi, magari si metterà a parlare con la fotografia di sua moglie. Pereira si asciugò la bocca col tovagliolo, abbassò la voce e disse: lo faccio già, dottor Cardoso. Il dottor Cardoso sorrise.

Ho visto il ritratto di sua moglie in camera sua nella clinica, disse, e ho pensato: quest'uomo parla mentalmente con il ritratto di sua moglie, non ha ancora elaborato il lutto, è proprio così che ho pensato, dottor Pereira. In verità non è che ci parli mentalmente, aggiunse Pereira, ci parlo a voce alta, gli racconto tutte le mie cose, e è come se il ritratto mi rispondesse. Sono fantasie dettate dal superego, disse il dottor Cardoso, lei dovrebbe parlare con qualcuno di cose come queste. Ma non ho nessuno con cui parlare, confessò Pereira, sono solo, ho un amico che fa il professore all'università di Coimbra, sono stato a trovarlo alle terme di Buçaco e sono partito il giorno dopo perché non lo sopportavo, i professori universitari sono tutti a favore della situazione politica e lui non fa eccezione, e poi c'è il mio direttore, ma lui partecipa a tutte le manifestazioni ufficiali con il braccio teso come un giavellotto, figuriamoci se posso parlare con lui, e poi c'è la portiera della redazione, la Celeste, è un'informatrice della polizia, e ora mi fa anche da centralino, e poi ci sarebbe Monteiro Rossi, ma è latitante. È Monteiro Rossi che ha conosciuto?, chiese il dottor Cardoso. È il mio praticante, rispose Pereira, il ragazzo che mi scrive gli articoli che non posso pubblicare. E lei lo cerchi, replicò il dottor Cardoso, come le ho detto prima, lo cerchi, dottor Pereira, lui è giovane, è il futuro, lei ha bisogno di frequentare un giovane, anche se scrive articoli che non possono essere pubblicati sul suo giornale, la smetta di frequentare il passato, cerchi di frequentare il futuro. Che bella espressione, disse Pereira, frequentare il futuro, che bella espressione, non mi sarebbe mai venuta in mente. Pereira ordinò una limonata senza zucchero e continuò: e poi ci sarebbe lei, dottor Cardoso, col quale mi piace molto parlare e col quale parlerei volentieri in futuro, ma lei ci lascia, lei mi lascia, mi lascia qui nella solitudine, e io non ho nessuno se non il ritratto di mia moglie, come può capire. Il dottor Cardoso bevve il caffè che Manuel gli aveva portato. Io posso parlare con lei a Saint-Malo se mi verrà a trovare, dottor Pereira, disse il dottor Cardoso, non è detto che questo paese sia fatto per lei, e poi è troppo pieno di ricordi, cerchi di buttare nel rigagnolo il suo superego e dia spazio al suo nuovo io egemone, forse ci potremo vedere in altre occasioni, e lei sarà un uomo diverso.

Il dottor Cardoso insistette nel pagare il pranzo e Pereira accettò di buon grado, sostiene, perché con quelle due banconote che aveva dato a Marta la sera prima il suo portafoglio era rimasto piuttosto sguarnito. Il dottor Cardoso si alzò e lo salutò. A presto, dottor Pereira, disse, spero di rivederla in Francia o in un altro paese del vasto mondo, e mi raccomando, dia spazio al suo nuovo io egemone, lo lasci essere, ha bisogno di nascere, ha bisogno di affermarsi.

Pereira si alzò e lo salutò. Lo guardò allontanarsi e sentì una grande nostalgia, come se quel commiato fosse irrimediabile. Pensò alla settimana passata alla clinica talassoterapica di Parede, alle sue conversazioni con il dottor Cardoso, alla sua solitudine. E quando il dottor Cardoso uscì dalla porta e scomparve nella strada lui si sentì solo, veramente solo, e pensò che quando si è veramente soli è il momento di misurarsi con il proprio io egemone che vuole imporsi sulle coorti delle anime. Ma anche se pensò così non si sentì rassicurato, sentì invece una grande nostalgia, di cosa non saprebbe dirlo, ma era una grande nostalgia di una vita passata e di una vita futura, sostiene Pereira.

21

L'indomani mattina Pereira fu svegliato dal telefono, sostiene. Era ancora nel suo sogno, un sogno che gli parve di avere sognato tutta la notte, un sogno lunghissimo e felice che non crede opportuno rivelare perché non ha niente a che vedere con questa storia.

Pereira riconobbe immediatamente la voce della signorina Filipa, la segretaria del direttore. Buongiorno dottor Pereira, disse Filipa soavemente, le passo il signor direttore. Pereira finì di svegliarsi e si mise a sedere sul bordo del letto. Buongiorno dottor Pereira, disse il direttore, sono il suo direttore. Buongiorno signor direttore, rispose Pereira, ha fatto buone vacanze? Ottime, disse il direttore, ottime, le terme di Buçaco sono veramente un luogo magnifico, ma credo di avervelo già detto, se non sbaglio ci siamo già sentiti. Ah già, certo, disse Pereira, ci siamo già sentiti quando è uscito il racconto di Balzac, mi scusi, ma mi sveglio ora e non ho le idee chiare. Ogni tanto capita di non avere le idee chiare, disse il direttore con una certa rudezza, e credo che possa capitare anche a lei, dottor Pereira. Effettivamente, rispose Pereira, a me succede soprattutto la mattina perché ho sbalzi di pressione. La stabilizzi con un po' di sale, consigliò il direttore, un po' di sale sotto la lingua e si stabilizzano gli sbalzi

163

di pressione, ma non è per questo che le telefono, per parlare della sua pressione, dottor Pereira, il fatto è che lei non si fa mai vedere in redazione centrale, è questo il problema, se ne sta rinchiuso in quella stanzetta di Rua Rodrigo da Fonseca e non viene mai a parlare con me, non mi espone i suoi progetti, fa tutto di testa sua. Veramente, signor direttore, disse Pereira, mi scusi, ma lei mi ha lasciato carta libera, ha detto che la pagina culturale era di mia responsabilità, insomma, mi ha detto di fare di testa mia. Di testa sua va bene, continuò il direttore, ma non le pare che di quando in quando lei dovrebbe conferire con me? Sarebbe utile anche per me, disse Pereira, perché in realtà sono solo, troppo solo a fare la cultura, e lei mi ha detto che di cultura non se ne vuole occupare. E il suo praticante, chiese il direttore, non mi aveva detto che aveva assunto un praticante? Sì, rispose Pereira, ma i suoi articoli sono acerbi, per ora, e poi non è morto nessun letterato interessante, e poi è un ragazzo giovane e mi ha chiesto le ferie, deve essere a fare i bagni, è quasi un mese che non si fa vivo. E lei lo licenzi, dottor Pereira, disse il direttore, cosa se ne fa di un praticante che non sa scrivere e che va in vacanza? Lasciamogli ancora una possibilità, replicò Pereira, in fondo deve imparare il mestiere, è solo un ragazzo inesperto, deve fare un po' di gavetta. In quel momento della conversazione si inserì la dolce voce della signorina Filipa. Mi scusi signor direttore, disse, c'è una telefonata per lei dal governo civile, mi pare urgente. Bene, dottor Pereira, disse il direttore, la faccio richiamare fra una ventina di minuti, intanto si svegli bene e sciolga un po' di sale sotto la lingua. Se vuole la richiamo io, disse Pereira. No, disse il direttore, devo fare con comodo, quando ho finito la richiamo io, arrivederci.

Pereira si alzò e andò a fare un bagno rapido. Si preparò il caffè e mangiò un biscotto salato. Poi si vestì e andò nell'ingresso. Mi sta telefonando il direttore, disse al ritratto di sua moglie, mi pare che giri intorno all'osso ma non l'ha ancora azzannato, non capisco cosa vuole da me, ma deve azzannare l'osso, tu che ne dici? Il ritratto di sua moglie gli sorrise il suo sorriso lontano e Pereira concluse: beh, pazienza, sentiamo cosa vuole il direttore, io rimproveri da farmi non ne ho, almeno per quanto riguarda il giornale, non faccio altro che tradurre racconti francesi dell'Ottocento.

Si sedette al tavolo del salotto e pensò di mettersi a scrivere una ricorrenza su Rilke. Ma in fondo in fondo non aveva voglia di scrivere niente su Rilke, quell'uomo così elegante e snob che aveva frequentato la buona società, al diavolo, pensò Pereira. Si mise a tradurre qualche frase dal romanzo di Bernanos, era più complicato di quanto pensasse, almeno al principio, e lui era solo al primo capitolo, non era ancora entrato nella storia. In quel momento squillò il telefono. Buongiorno di nuovo, dottor Pereira, disse la dolce voce della signorina Filipa, le passo il signor direttore. Pereira attese qualche secondo e poi la voce del direttore, grave e pausata, disse: bene, dottor Pereira, dicevamo? Mi diceva che me ne sto rinchiuso nella mia redazione di Rua Rodrigo da Fonseca, signor direttore, disse Pereira, ma è quella la stanza in cui lavoro, dove faccio la cultura, al giornale non saprei cosa fare, i giornalisti non li conosco, la cronaca io l'ho fatta per tanti anni in un altro giornale, ma lei non ha voluto affidarmela, ha voluto affidarmi la cultura, e con i giornalisti politici io non ho contatti, non so cosa potrei venire a fare al giornale. Si è sfogato dottor Pereira?, chiese il direttore. Scusi, signor direttore, disse Pereira, non volevo sfogarmi, volevo solo dire le mie ragioni. Bene, disse il direttore, ma ora vorrei farle una semplice domanda, perché non sente mai la necessità di venire a parlare con il suo direttore? Perché lei mi ha detto che la cultura non è affar suo, signor direttore, rispose Pereira. Senta, dottor Pereira, disse il direttore, non so se lei è duro di orecchi o se proprio non vuole capire, il fatto è che la sto convocando, capisce?, sarebbe lei che di tanto in tanto dovrebbe chiedere un colloquio con me, ma a questo punto, visto che lei è duro di comprendonio, sono io che chiedo un colloquio con lei. Sono a sua disposizione, disse Pereira, a sua completa disposizione. Bene, concluse il direttore, allora venga al giornale alle diciassette, e ora arrivederci e buona giornata, dottor Pereira.

Pereira si accorse che stava leggermente sudando. Si cambiò la camicia, che era bagnata sotto le ascelle, e pensò di andare in redazione e di aspettare le cinque del pomeriggio. Poi si disse che in redazione non c'era niente da fare, avrebbe dovuto vedere Celeste e staccare il telefono, era meglio se restava in casa. Ritornò al tavolo della sala da pranzo e si mise a tradurre Bernanos. Certo era un romanzo complicato, e anche lento, chissà cosa ne avrebbero pensato i lettori del "Lisboa" leggendo il primo capitolo. Nonostante tutto andò avanti e ne tradusse un paio di pagine. All'ora di pranzo pensò di prepararsi qualcosa, ma la sua dispensa era sfornita. Sostiene Pereira di aver pensato che magari poteva mangiare un boccone al Café Orquídea, anche tardi, e poi andare al giornale. Si mise il vestito chiaro e la cravatta nera e uscì. Prese il tram fino al Terreiro do Paço e lì cambiò per la Rua Alexandre Herculano. Quando entrò nel Café Orquídea erano quasi le tre e il cameriere stava sparecchiando i tavoli. Venga dottor Pereira, disse cordialmente Manuel, per lei c'è sempre un piatto, immagino che non abbia ancora pranzato, è dura la vita dei giornalisti. Eh sì, rispose Pereira, specie per i giornalisti che non sanno niente come non si sa mai niente in questo paese, che novità ci sono? Pare che delle navi inglesi siano state bombardate al largo di Barcellona, rispose Manuel, e che una nave passeggeri francese sia stata inseguita fino ai Dardanelli, sono i sottomarini italiani, gli italiani sono fortissimi con i sottomarini, è la loro specialità. Pereira ordinò una limonata senza zucchero e un'omelette alle erbe aromatiche. Si sedette vicino al ventilatore, ma quel giorno il ventilatore era spento. Lo abbiamo spento, disse Manuel, ormai l'estate è finita, ha sentito il temporale di stanotte? Non l'ho sentito, rispose Pereira, ho dormito di un sonno solo, però per me fa ancora caldo. Manuel gli accese il ventilatore e gli portò una limonata. E un po' di vino, dottor Pereira, quando mi dà la soddisfazione di servirle un po' di vino? Il vino mi fa male al cuore, rispose Pereira, hai un giornale del mattino? Manuel gli portò un giornale. Il titolo di testa era: *Sculture di sabbia sulla spiaggia di Carcavelos. Il ministro del Secretariado Nacional de Propaganda inaugura la mostra dei piccoli artisti.* C'era una grande fotografia a mezza pagina che mostrava le opere dei giovani artisti da spiaggia: sirene, barche, vascelli e balene. Pereira girò la pagina. Nell'interno c'era scritto: *Valorosa resistenza del contingente portoghese in Spagna.* L'occhiello diceva: "I nostri soldati si distinguono per un'altra battaglia con l'aiuto a distanza dei sommergibili italiani". Pereira non ebbe voglia di leggere l'articolo e posò il giornale su una sedia. Finì di mangiare la sua omelette e prese un'altra limonata senza zucchero. Poi pagò il conto, si alzò, indossò la giacca che si era tolta e si incamminò a piedi verso la redazione centrale del "Lisboa". Quando vi arrivò erano le cinque meno un quarto. Pereira entrò in un caffè, sostiene, e ordinò un'acquavite. Era certo che gli avrebbe fatto male al cuore, ma pensò: pazienza. Poi salì le rampe di scale del vecchio palazzo in cui si trovava la redazione del "Lisboa" e salutò la signorina Filipa. Vado a annunciarla, disse la signorina Filipa. Non importa, rispose Pereira, mi annuncio da solo, sono le cinque in punto e il signor direttore mi ha dato un appuntamento per le cinque. Bussò alla porta e sentì la voce del direttore che diceva avanti. Pereira si abbottonò la giacca e entrò. Il direttore era abbronzato, molto abbronzato, evidentemente aveva preso il sole nel parco delle terme. Eccomi qua, signor direttore, disse Pereira, sono a sua disposizione, mi dica tutto. Tutto che è poco, Pereira, disse il direttore, è più di un mese che non ci vediamo. Ci siamo visti alle terme, disse Pereira, e lei mi sembrava soddisfatto. Le vacanze sono vacanze, tagliò corto il direttore, non parliamo delle vacanze. Pereira si accomodò sulla sedia davanti alla scrivania. Il direttore prese un lapis e cominciò a farlo girare sul piano del tavolo. Dottor Pereira, disse, mi piacerebbe darle del tu, se lei permette. A suo piacimento, rispose Pereira. Senti Pereira, disse il direttore, noi ci conosciamo da poco, da quando è stato fondato questo giornale, ma io so che sei un buon giornalista, hai lavorato per quasi trent'anni come cronista, la vita la conosci e sono certo che mi puoi capire. Farò il possibile, disse Pereira. Ebbene, disse il direttore, quest'ultima cosa non me l'aspettavo. Che cosa?, chiese Pereira. Il panegirico della Francia, disse il direttore, ha suscitato molti malùmori negli ambienti che contano. Quale panegirico della Francia?, chiese Pereira con aria meravigliata. Pereira!, esclamò il direttore, tu hai pubblicato un racconto di Alphonse Daudet che parla della guerra con i tedeschi e che finisce con questa frase: viva la Francia. È un racconto dell'Ottocento, rispose Pereira. Un racconto dell'Ottocento sì, continuò il direttore, ma parla sempre di una guerra contro la Germania e tu non puoi non sapere, Pereira, che la Germania è nostra alleata. Il nostro governo non ha fatto alleanze, obiettò Pereira, almeno ufficialmente. Via Pereira, disse il direttore, cerca di ragionare, se non ci sono alleanze ci sono almeno simpatie, forti simpatie, noi la pensiamo come la Germania, in politica interna e in politica estera, e stiamo aiutando i nazionalisti spagnoli come sta facendo la Germania. Ma alla censura non hanno fatto obiezioni, si difese Pereira, hanno fatto passare il racconto tranquillamente. Alla censura sono dei cafoni, disse il direttore, degli analfabeti, il direttore della censura è un ùomo intelligente, è mio amico, ma non può leggersi personalmente le bozze di tutti i giornali portoghesi, gli altri sono funzionari, poveri poliziotti pagati perché non passino le parole sovversive come socialismo e comunismo, non potevano capire un racconto di Daudet che finisce con viva la Francia, siamo noi che dobbiamo essere vigili, che dobbiamo essere cauti, siamo noi giornalisti che abbiamo esperienza storica e culturale, noi dobbiamo sorvegliare noi stessi. Sono io che sono sorvegliato, sostiene di aver detto Pereira, in realtà c'è qualcuno che mi sorveglia. Spiegati meglio, Pereira, disse il direttore, cosa vuoi dire con questo? Voglio dire che ho un centralino in redazione, disse Pereira, non ricevo più telefonate dirette, passano tutte attraverso Celeste, la portiera dello stabile. Si fa così in tutte le redazioni, replicò il direttore, se tu sei assente c'è qualcuno che riceve la telefonata e che risponde per te. Sì, disse Pereira, ma la portiera è un'informatrice della polizia, ne sono certo. Via Pereira, disse il direttore, la polizia ci protegge, vigila sui nostri sonni, dovresti esserle grato. Io non sono grato a nessuno, signor direttore, rispose Pereira, sono grato solo alla mia professionalità e al ricordo di mia moglie. Ai buoni ricordi bisogna sempre essere grati, accondiscese il direttore, ma tu, Pereira, quando pubblichi la pagina culturale me la devi far vedere prima, è questo che esigo. Ma io le avevo detto che si trattava di un racconto patriottico, insistette Pereira, e lei mi ha confortato assicurandomi che in questo momento c'è bisogno di patriottismo. Il direttore accese una sigaretta e si grattò la testa. Di patriottismo portoghese, disse, non so se mi segui, Pereira, di patriottismo portoghese, tu non fai altro che pubblicare racconti francesi, e i francesi non ci sono simpatici, non so se mi segui, comunque senti, i nostri lettori hanno bisogno di una buona pagina culturale portoghese, in Portogallo hai decine di scrittori da scegliere, anche dell'Ottocento, per la prossima volta scegli un racconto di Eça da Queiroz, che di Portogallo se ne intendeva, o di Camilo Castelo Branco, che ha cantato la passione e che ha avuto una bella vita movimentata fatta di amori e di prigione, il "Lisboa" non è un giornale esterofilo, e tu hai bisogno di ritrovare le tue radici, di ritornare alla tua terra, come direbbe il critico Borrapotas. Non so chi sia, rispose Pereira. È un critico nazionalista, spiegò il direttore, scrive su un giornale che ci fa concorrenza, sostiene che gli scrittori portoghesi devono ritornare alla loro terra. Io non ho mai abbandonato la mia terra, disse Pereira, sono piantato per terra come una zeppa. D'accordo, concesse il direttore, ma devi consultarmi ogni volta che prendi un'iniziativa, non so se hai capito. Ho capito perfettamente, disse Pereira e si sbottonò il primo bottone della giacca. Bene, concluse il direttore, credo che il nostro colloquio sia finito, mi piacerebbe che fra noi ci fosse un buon rapporto. Certo, disse Pereira, e prese congedo.

Quando uscì c'era un gran vento che piegava le cime degli alberi. Pereira si incamminò a piedi, poi si fermò per vedere se passava un taxi. Lì per lì pensò di andare a cena al Café Orquídea, poi cambiò opinione e giunse alla conclusione che era meglio andarsene a prendere un caffellatte a casa sua. Ma taxi non ne passavano, purtroppo, e dovette aspettare una buona mezz'ora, sostiene.

22

Il giorno dopo Pereira restò in casa, sostiene. Si alzò tardi, fece colazione e mise da parte il romanzo di Bernanos, perché tanto sul "Lisboa" non sarebbe uscito. Frugò nella libreria e trovò le opere complete di Camilo Castelo Branco. Prese una novella a caso e cominciò a leggere la prima pagina. La trovò opprimente, non aveva la leggerezza e l'ironia dei francesi, era una storia cupa, nostalgica, piena di problemi e gravida di tragedie. Pereira si stancò presto. Avrebbe avuto voglia di parlare con il ritratto di sua moglie, ma rimandò la conversazione a più tardi. Allora si fece una frittata senza le erbe aromatiche, se la mangiò tutta e andò a coricarsi, si addormentò subito e fece un bel sogno. Poi si alzò e si mise a sedere su una poltrona a guardare le finestre. Dalle finestre di casa sua si vedevano le palme della caserma di fronte e ogni tanto si sentiva uno squillo di tromba. Pereira non sapeva decifrare gli squilli di tromba perché non aveva fatto il militare, e per lui erano messaggi incongrui. Si mise a fissare le braccia delle palme che si agitavano al vento e pensò alla sua infanzia. Trascorse una buona parte del pomeriggio così, pensando alla sua infanzia, ma questa è una cosa di cui Pereira non vuol parlare, perché non ha niente a che vedere con questa storia, sostiene.

Verso le quattro del pomeriggio sentì suonare il campanello. Pereira si riscosse dal suo dormiveglia, ma non si mosse. Trovò strano che qualcuno suonasse il campanello, pensò che forse era Piedade che tornava da Setúbal, magari sua sorella l'avevano operata prima del previsto. Il campanello suonò di nuovo, insistentemente, due volte, due lunghe scampanellate. Pereira si alzò e azionò il tirante che apriva il portone di sotto. Restò nel vano delle scale, udì il portone che si richiudeva piano piano e dei passi che salivano in fretta. Quando la persona che era entrata arrivò sul pianerottolo Pereira non fu in grado di distinguerla, perché sulle scale era buio e perché lui non ci vedeva più così bene.

Salve, dottor Pereira, disse una voce che Pereira riconobbe, sono io, posso entrare? Era Monteiro Rossi, Pereira lo fece passare e richiuse subito la porta. Monteiro Rossi si fermò nell'ingresso, aveva in mano una piccola borsa e indossava una camicia con le maniche corte. Mi scusi dottor Pereira, disse Monteiro Rossi, poi le spiego tutto, c'è qualcuno nel palazzo? La portiera è a Setúbal, disse Pereira, gli inquilini del piano di sopra hanno lasciato l'appartamento sfitto, si sono trasferiti a Oporto. Crede che mi abbia visto qualcuno?, chiese affannosamente Monteiro Rossi. Sudava e balbettava leggermente. Credo di no, disse Pereira, ma cosa ci fa qui, da dove arriva? Poi le spiego tutto, dottor Pereira, disse Monteiro Rossi, ma ora avrei bisogno di fare una doccia e di cambiarmi la camicia, sono esausto. Pereira lo accompagnò in bagno e gli dette una camicia pulita, la sua camicia color kaki. Le starà un po' larga, disse, ma pazienza. Mentre Monteiro Rossi faceva il bagno, Pereira si recò nell'ingresso davanti al ritratto di sua moglie. Avrebbe voluto dirgli delle cose, sostiene, che Monteiro Rossi gli era piombato in casa, per esempio e altre cose ancora. Invece non disse niente, rimandò la conversazione a più tardi e ritornò in salotto. Monteiro Rossi arrivò affogato nella camicia larghissima di Pereira. Grazie dottor Pereira, disse, sono esausto, vorrei raccontarle molte cose ma sono proprio esausto, forse avrei bisogno di fare un pisolino. Pereira lo condusse in camera da letto e stese una coperta di cotone sulle lenzuola. Si sdrai qui, gli disse, e si tolga le scarpe, non si metta a dormire con le scarpe perché il corpo non riposa, e stia tranquillo, la sveglierò io più tardi. Monteiro Rossi si coricò e Pereira chiuse la porta e ritornò in salotto. Mise da parte le novelle di Camilo Castelo Branco, prese di nuovo Bernanos e si mise a tradurre il resto del capitolo. Se non poteva pubblicarlo sul "Lisboa" pazienza, pensò, magari poteva pubblicarlo in volume, almeno i portoghesi avrebbero avuto un buon libro da leggere, un libro serio, etico, che trattava di problemi fondamentali, un libro che avrebbe fatto bene alla coscienza dei lettori, pensò Pereira.

Alle otto Monteiro Rossi dormiva ancora. Pereira si recò in cucina, sbatté quattro uova, vi mise un cucchiaio di mostarda di Digione e un pizzico di origano e di maggiorana. Voleva preparare una buona omelette alle erbe aromatiche, e forse Monteiro Rossi aveva una fame del diavolo, pensò. Apparecchiò per due nel salotto, stese una tovaglia bianca, mise i piatti di Caldas da Rainha che gli aveva regalato il Silva quando si era sposato e sistemò due candele su due candelieri. Poi andò a svegliare Monteiro Rossi, ma entrò piano nella stanza perché in fondo gli dispiaceva svegliarlo. Il ragazzo era riverso sul letto e dormiva con un braccio nel vuoto. Pereira lo chiamò, ma Monteiro Rossi non si svegliò. Allora Pereira gli scosse il braccio e gli disse: Monteiro Rossi, è l'ora di cena, se continua a dormire non dormirà questa notte, sarebbe meglio che venisse a mangiare un boccone. Monteiro Rossi si precipitò giù dal letto con l'aria terrorizzata. Stia tranquillo, disse Pereira, sono il dottor Pereira, qui è al sicuro. Andarono in salotto e Pereira accese le candele. Mentre cuoceva l'omelette offrì a Monteiro Rossi un paté in scatola che era rimasto nella dispensa, e dalla cucina chiese: che cosa le è successo, Monteiro Rossi? Grazie, rispose Monteiro

Rossi, grazie dell'ospitalità, dottor Pereira, e grazie anche per i soldi che mi ha mandato, me li ha fatti recapitare Marta. Pereira portò in tavola l'omelette e si sistemò il tovagliolo intorno al collo. Dunque, Monteiro Rossi, chiese, cosa succede? Monteiro Rossi si precipitò sul cibo come se non mangiasse da una settimana. Piano, così si strozza, disse Pereira, mangi con calma, che poi c'è anche del formaggio, e mi racconti. Monteiro Rossi ingoiò il boccone e disse: mio cugino è stato arrestato. Dove, chiese Pereira, alla pensione che gli avevo trovato io? Macché, rispose Monteiro Rossi, è stato arrestato in Alentejo mentre cercava di reclutare gli alentejani, io sono sfuggito per miracolo. E ora?, chiese Pereira. Ora sono braccato, dottor Pereira, rispose Monteiro Rossi, credo che mi stiano cercando per tutto il Portogallo, ho preso un autobus ieri sera, sono arrivato fino al Barreiro, poi ho preso un traghetto, dal Cais de Sodré fino a qui sono venuto a piedi perché non avevo soldi per il trasporto. Qualcuno sa che è qui?, chiese Pereira. Nessuno, rispose Monteiro Rossi, nemmeno Marta, anzi, vorrei comunicare con lei, vorrei dire almeno a Marta che sono al sicuro, perché lei non mi manderà via, vero dottor Pereira? Lei può restare qui tutto il tempo che vuole, rispose Pereira, almeno fino a metà settembre, fino a quando non ritornerà la Piedade, la portiera dello stabile che è anche la mia donna di servizio, Piedade è una donna fidata, però è una portiera e le portiere parlano con le altre portiere, la sua presenza non passerebbe inosservata. Beh, disse Monteiro Rossi, di qui al quindici settembre mi troverò un'altra sistemazione, magari ora parlo con Marta. Senta, Monteiro Rossi, disse Pereira, lasci perdere Marta per ora, finché lei è a casa mia non comunichi con nessuno, se ne stia tranquillo e si riposi. E lei cosa fa, dottor Pereira, chiese Monteiro Rossi, si occupa ancora dei necrologi e delle ricorrenze? In parte, rispose Pereira, ma gli articoli che mi ha scritto sono tutti impubblicabili, li ho messi in una cartellina in redazione, non so perché non li butto via. È tempo che le confessi una cosa, mormorò Monteiro Rossi, mi scusi se glielo dico così in ritardo, ma quegli articoli non sono tutta farina del mio sacco. Come sarebbe a dire?, chiese Pereira. Beh, dottor Pereira, la verità è che Marta mi ha dato una buona mano, in parte li ha fatti lei, le idee fondamentali sono sue. Mi pare una cosa molto scorretta, replicò Pereira. Oh, rispose Monteiro Rossi, non so fino a che punto, ma lei, dottor Pereira, lo sa cosa gridano i nazionalisti spagnoli?, gridano viva la muerte, e io di morte non so scrivere, a me piace la vita, dottor Pereira, e da solo non sarei mai stato in grado di fare necrologi, di parlare della morte, davvero non sono in grado di parlarne. In fondo la capisco, sostiene di aver detto Pereira, non ne posso più neanch'io.

Era caduta la notte e le candele diffondevano una luce tenue. Non so perché faccio tutto questo per lei, Monteiro Rossi, disse Pereira. Forse perché lei è una brava persona, rispose Monteiro Rossi. È troppo semplice, replicò Pereira, il mondo è pieno di brave persone che non vanno in cerca di guai. Allora non lo so, disse Monteiro Rossi, non saprei proprio. Il problema è che non lo so neanch'io, disse Pereira, fino ai giorni scorsi mi facevo molte domande, ma forse è meglio che smetta di farmele. Portò in tavola le ciliege sotto spirito e Monteiro Rossi se ne fece un bicchiere pieno. Pereira prese solo una ciliegia con un po' di sugo, perché temeva di rovinare la sua dieta.

Mi racconti come è andata, chiese Pereira, cosa ha fatto fino a ora in Alentejo? Abbiamo risalito tutta la regione, rispose Monteiro Rossi, fermandoci nei luoghi sicuri, nei luoghi dove c'è più fermento. Scusi, interloquì Pereira, ma suo cugino non mi sembra la persona adatta, io l'ho visto una volta sola, ma mi sembrava un po' sprovveduto, direi un po' tonto, e poi non parla nemmeno il portoghese. Sì, disse Monteiro Rossi, ma nella vita civile fa il tipografo, sa lavorare con i documenti, non c'è nessuno meglio di lui per falsificare un passaporto. E allora avrebbe potuto falsificare meglio il suo, disse Pereira, aveva un passaporto argentino e si vedeva a un miglio di distanza che era falso. Quello non lo aveva fatto lui, obiettò Monteiro Rossi, glielo avevano dato in Spagna. In conclusione?, chiese Pereira. Beh, rispose Monteiro Rossi, a Portalegre abbiamo trovato una tipografia fidata e mio cugino si è messo al lavoro, abbiamo fatto un lavoro con i fiocchi, mio cugino ha confezionato un bel numero di passaporti, una buona parte li abbiamo distribuiti, altri sono rimasti a me perché non abbiamo fatto in tempo. Monteiro Rossi prese la borsa che aveva lasciato sulla poltrona e vi infilò la mano. Ecco quello che mi è rimasto, disse. Mise sulla tavola un pacchetto di passaporti, dovevano essere una ventina. Lei è pazzo, mio caro Monteiro Rossi, disse Pereira, gira con quella roba in borsa come se fossero caramelle, se la trovano con questi documenti lei fa una brutta fine.

Pereira prese i passaporti e disse: questi li nascondo io. Pensò di metterli in un cassetto, ma gli parve un luogo poco sicuro. Allora andò nell'ingresso e li infilò di piatto nella libreria, proprio dietro al ritratto di sua moglie. Scusa, disse al ritratto, ma qui nessuno verrà a guardare, è il posto più sicuro di tutta la casa. Poi ritornò in salotto e disse: si è fatto tardi, forse sarebbe meglio andare a letto. Io devo comunicare con Marta, disse Monteiro Rossi, è in pensiero, non sa cosa mi sia successo, magari pensa che hanno arrestato anche me. Senta, Monteiro Rossi, disse Pereira, domani a Marta telefono io, ma da un telefono pubblico, per stasera è meglio che lei stia tranquillo e se ne vada a letto, mi scriva il numero di telefono su questo foglio. Le lascio due numeri, disse Monteiro Rossi, se non risponde a uno risponde sicuramente all'altro, se non risponde lei personalmente chieda di Lise Delaunay, è così che si chiama ora. Lo so, ammise Pereira, l'ho incontrata in questi giorni, quella ragazza è diventata magra come un cane, è irriconoscibile, questa vita non le fa bene, Monteiro Rossi, si sta rovinando la salute e ora buonanotte.

Pereira spense le candele e si chiese perché si era messo in tutta quella storia, perché ospitare Monteiro Rossi, perché telefonare a Marta e lasciare messaggi cifrati, perché entrare in cose che non lo riguardavano? Forse perché Marta era diventata così magra che sulle spalle le si vedevano due scapole sporgenti come due ali di pollo? Forse perché Monteiro Rossi non aveva un padre e una madre che potevano dargli ricovero? Forse perché lui era stato a Parede e il dottor Cardoso gli aveva esposto la sua teoria sulla confederazione delle anime? Pereira non lo sapeva e ancora oggi non si saprebbe rispondere. Preferì andarsene a letto perché l'indomani voleva alzarsi presto e organizzare bene la giornata, ma prima di andarsi a coricare si recò un attimo nell'ingresso a dare un'occhiata al ritratto di sua moglie. E non gli parlò, Pereira, gli fece solo un affettuoso ciao con la mano, sostiene.

23

Quel mattino di fine agosto Pereira si svegliò alle otto, sostiene. Durante la notte si era svegliato varie volte e aveva sentito una pioggia che scrosciava sulle palme della caserma di fronte. Non ricorda di aver sognato, aveva dormito in maniera intermittente con qualche sogno sparso, certo, ma che non ricorda. Monteiro Rossi dormiva sul divano del salotto, era infilato in un pigiama che praticamente gli faceva da lenzuolo, data l'ampiezza. Dormiva tutto rattrappito, come se avesse freddo, e Pereira lo coprì con un plaid, delicatamente, per non svegliarlo. Si mosse con circospezione per la casa, per non fare rumore, si preparò un caffè e andò a fare la spesa al negozio dell'angolo. Comprò quattro scatole di sardine, una dozzina di uova, dei pomodori, un melone, il pane, otto polpette di baccalà di quelle già pronte, che bastava riscaldare sul fornello. Poi vide un piccolo prosciutto affumicato che pendeva da un gancio, cosparso di paprika, e Pereira lo comprò. Ha deciso di rifornire la dispensa, dottor Pereira, commentò il bottegaio. Ebbene sì, rispose Pereira, la mia donna di servizio non arriva prima della metà di settembre, è da sua sorella a Setúbal, e bisogna che io mi arrangi, non posso fare la spesa tutte le mattine. Se vuole una brava persona che venga a farle un po' di servizio gliela potrei indicare, disse il bottegaio, abita un po' più in su, verso la Graça, ha un bambino piccolo e il marito l'ha abbandonata, è una persona di fiducia. No, grazie, rispose Pereira, grazie signor Francisco, ma è meglio di no, non so come la prenderebbe la Piedade, c'è molta gelosia fra le donne di servizio e lei si potrebbe sentire spodestata, eventualmente per l'inverno, magari potrebbe essere un'idea, ma ora è meglio che aspetti il ritorno della Piedade.

Pereira entrò in casa e collocò le compere nella ghiacciaia. Monteiro Rossi dormiva. Pereira gli lasciò un biglietto. «Ci sono uova al prosciutto o crocchette di baccalà da riscaldare, le può riscaldare in padella ma con poco olio, altrimenti diventano una pappa, faccia un buon pranzo e stia tranquillo, io ritorno alla fine del pomeriggio, parlerò con Marta, a presto, Pereira.»

Uscì di casa e si recò in redazione. Quando arrivò trovò Celeste nel suo bugigattolo che trafficava con un calendario. Buongiorno Celeste, fece Pereira, ci sono novità? Nessuna telefonata e niente posta, rispose Celeste. Pereira si sentì sollevato, era meglio se non lo aveva cercato nessuno. Salì in redazione e staccò il telefono, poi prese il racconto di Camilo Castelo Branco e lo preparò per la tipografia. Verso le dieci telefonò al giornale e gli rispose la soave voce della signorina Filipa. Sono il dottor Pereira, disse Pereira, vorrei parlare con il direttore. Filipa passò la comunicazione e la voce del direttore disse: pronto. Sono il dottor Pereira, disse Pereira, volevo solo farmi vivo, signor direttore. E fa bene, disse il direttore, perché ieri l'ho cercata ma lei non era in redazione. Ieri non mi sentivo bene, mentì Pereira, sono rimasto a casa mia perché il mio cuore non funzionava. Capisco, dottor Pereira, disse il direttore, ma mi piacerebbe sapere che intenzioni ha per le prossime pagine culturali. Pubblico un racconto di Camilo Castelo Branco, rispose Pereira, come mi ha consigliato lei, signor direttore, un autore portoghese dell'Ottocento credo che possa andare bene, lei che ne dice? È perfetto, rispose il direttore, ma mi piacerebbe anche che continuasse la rubrica delle ricorrenze. Avevo pensato di fare Rilke, rispose Pereira, ma poi non l'ho fatto, volevo il suo beneplacito. Rilke, disse il direttore, il nome mi dice qualcosa. Rainer Maria Rilke, spiegò Pereira, è nato in Cecoslovacchia, ma è praticamente un poeta austriaco, ha scritto in tedesco, è morto nel ventisei. Senta Pereira, disse il direttore, il "Lisboa" come le ho già detto sta diventando un giornale esterofilo, perché non fa la ricorrenza di un poeta della patria, perché non fa il nostro grande Camões? Camões?, rispose Pereira, ma Camões è morto nel millecinquecentottanta, sono quasi quattrocento anni. Sì, disse il direttore, però è il nostro grande poeta nazionale, è sempre attualissimo, e poi sa cosa ha fatto António Ferro, il direttore del Secretariado Nacional de Propaganda, insomma il ministero della cultura, ha avuto la brillante idea di far coincidere il giorno di Camões con il giorno della Razza, in quel giorno si celebra il grande poeta dell'epica e la razza portoghese e lei ci potrebbe fare una ricorrenza. Ma il giorno di Camões è il dieci di giugno, obiettò Pereira, signor direttore, che senso ha celebrare il giorno di Camões alla fine di agosto? Intanto il dieci di giugno non avevamo ancora la pagina culturale, spiegò il direttore, e questo può dichiararlo nell'articolo, e poi può sempre celebrare Camões, che è il nostro grande poeta nazionale, e fare un riferimento al giorno della Razza, basta un riferimento perché i lettori capiscano. Mi scusi signor direttore, rispose con compunzione Pereira, ma senta, le voglio dire una cosa, noi in origine eravamo lusitani, poi abbiamo avuto i romani e i celti, poi abbiamo avuto gli arabi, che razza possiamo celebrare noi portoghesi? La razza portoghese, rispose il direttore, scusi Pereira ma la sua obiezione non mi suona bene, noi siamo portoghesi, abbiamo scoperto il mondo, abbiamo compiuto le maggiori navigazioni del globo, e quando l'abbiamo fatto, nel Cinquecento, eravamo già portoghesi, noi siamo questo e lei celebri questo, Pereira. Poi il direttore fece una pausa e continuò: Pereira, l'ultima volta ti davo del tu, non so perché continuo ancora a darti del lei. A suo piacimento, signor direttore, rispose Pereira, forse è il telefono che fa questo effetto. Sarà, disse il direttore, comunque senti bene, Pereira, voglio che il "Lisboa" sia un giornale molto portoghese anche nella sua pagina culturale e se tu non hai voglia di fare una ricorrenza sul giorno della Razza, la devi fare almeno su Camões, è già qualcosa.

Pereira salutò il direttore e riattaccò. António Ferro, pensò, quel terribile António Ferro, il peggio è che si trattava di un uomo intelligente e furbo, e pensare che era stato amico di Fernando Pessoa, beh, concluse, però anche quel Pessoa si sceglieva certi amici. Provò a scrivere una ricorrenza su Camões, e ci rimase fino alle dodici e trenta. Poi buttò tutto nel cestino. Al diavolo anche Camões, pensò, quel grande poeta che aveva cantato l'eroismo dei portoghesi, macché eroismo, si disse Pereira. Infilò la giacca e uscì per andare al Café Orquídea. Entrò e si mise al solito tavolo. Manuel venne sollecito e Pereira ordinò un'insalata di pesce. Mangiò con calma, con molta calma, e poi andò al telefono. Teneva in mano il bigliettino con i numeri che gli aveva dato Monteiro Rossi. Il primo numero squillò a lungo, ma nessuno rispose. Pereira lo rifece, tante volte si fosse sbagliato. Il numero squillò a lungo, ma nessuno rispose. Allora fece l'altro numero. Rispose una voce femminile. Pronto, disse Pereira, vorrei parlare con la signorina Delaunay. Non la conosco, rispose la voce femminile con circospezione. Buongiorno, ripeté Pereira, cerco la signorina Delaunay. Lei chi è?, mi scusi, chiese la voce femminile. Senta signora, disse Pereira, ho un messaggio urgente per Lise Delaunay, me la passi, per favore. Qui non c'è nessuna Lise, disse la voce femminile, ho l'impressione che lei si sbagli, chi le ha dato questo numero? Poco importa chi me lo ha dato, replicò Pereira, comunque se non posso parlare con Lise, mi passi almeno Marta. Marta?, si stupì la voce femminile, Marta come?, ci sono tante Marte a questo mondo. Pereira si ricordò che non conosceva il cognome di Marta e allora disse semplicemente: Marta è una ragazza magra con i capelli biondi che risponde anche al nome di Lise Delaunay, io sono un amico e ho un messaggio importante per lei. Spiacente, disse la voce femminile, ma qui non c'è nessuna Marta e nessuna Lise, buongiorno. Il telefono fece clic, e Pereira restò con la cornetta in mano. Riattaccò e andò a sedersi al suo tavolo. Cosa le posso servire?, chiese Manuel arrivando sollecito. Pereira ordinò una limonata con zucchero, poi chiese: ci sono novità interessanti? Me le danno stasera alle otto, disse Manuel, ho un amico che prende radio Londra, se vuole domani le racconto tutto.

Pereira bevve la sua limonata e pagò il conto. Uscì e si diresse in redazione. Trovò Celeste nel suo sgabuzzino che stava ancora consultando il calendario. Novità?, chiese Pereira. È arrivata una telefonata per lei, disse Celeste, era una donna ma non ha voluto dire perché chiamava. Ha lasciato il nome?, chiese Pereira. Era un nome straniero, rispose Celeste, ma non me lo ricordo. Perché non lo ha scritto?, la rimproverò Pereira, lei deve fare il centralino, Celeste, e prendere appunti. Già scrivo male il portoghese, rispose Celeste, figuriamoci con i nomi stranieri, era un nome complicato. Pereira sentì un tuffo al cuore e chiese: e cosa le ha detto questa persona, cosa le ha detto, Celeste? Ha detto che aveva un messaggio per lei e che cercava il signor Rossi, che nome strano, io ho risposto che qui non c'era nessun Rossi, che questa è la redazione culturale del "Lisboa", cosicché ho telefonato in redazione centrale perché pensavo di trovarla, volevo avvisarla, ma lei non c'era e ho lasciato detto che la cercavano da parte di una signora straniera, una certa Lise, ora mi viene in mente. E lei ha detto al giornale che cercavano il signor Rossi?, chiese Pereira. No, dottor Pereira, rispose con aria furba Celeste, questo non l'ho detto, mi sembrava inutile, ho detto solo che la cercava una certa Lise, non si inquieti, dottor Pereira, se la vogliono la troveranno. Pereira guardò l'orologio. Erano le quattro del pomeriggio, rinunciò a salire e salutò Celeste. Senta, Celeste, disse, io me ne vado a casa perché non mi sento bene, se telefona qualcuno per me le dica di chiamarmi a casa, forse domani non vengo in redazione, mi prenderà la posta lei.

Quando arrivò a casa erano quasi le sette. Indugiò a lungo al Terreiro do Paço, su una panchina, guardando i traghetti che partivano per l'altra sponda del Tago. Era bello quel fine di pomeriggio, e Pereira volle goderselo. Accese un sigaro e ne aspirò le boccate avidamente. Era seduto su una panchina che guardava il fiume e vicino a lui venne a sedersi un accattone con la fisarmonica che gli suonò vecchie canzoni di Coimbra.

Quando Pereira rientrò in casa non vide subito Monteiro Rossi e questo lo allarmò, sostiene. Ma Monteiro Rossi se ne stava nella stanza da bagno a fare le sue abluzioni. Mi sto facendo la barba, dottor Pereira, gridò Monteiro Rossi, fra cinque minuti sono da lei. Pereira si tolse la giacca e apparecchiò la tavola. Mise i piatti di Caldas da Rainha, quelli della sera prima. Sul tavolo collocò due candele che aveva comprato la mattina. Poi si recò in cucina e pensò a cosa poteva preparare per cena. Chissà perché gli venne in mente di fare un piatto italiano, anche se lui non conosceva la cucina italiana. Pensò di inventare un piatto, sostiene Pereira. Tagliò un'abbondante fetta di prosciutto e la lavorò in piccoli dadi, poi prese due uova e le sbatté, le riempì di formaggio grattugiato e vi versò il prosciutto, vi mescolò origano e maggiorana, amalgamò il tutto per bene poi mise una pentola d'acqua a bollire per la pasta. Quando l'acqua cominciò a bollire vi versò degli spaghetti che stavano in dispensa da qualche tempo. Monteiro Rossi arrivò fresco come una rosa, indossando la camicia color kaki di Pereira che lo avvolgeva come un lenzuolo. Ho pensato di fare un piatto italiano, disse Pereira, non so se è veramente italiano, magari è una fantasia, ma perlomeno è pasta. Che delizia, esclamò Monteiro Rossi, non la mangio da secoli. Pereira accese le candele e servì gli spaghetti. Ho tentato di telefonare a Marta, disse, ma al primo numero non risponde nessuno e al secondo risponde una signora che fa la finta tonta, ho detto perfino che volevo parlare con Marta, ma non c'è stato niente da fare, quando sono arrivato in redazione la portiera mi ha detto che mi avevano cercato, probabilmente era Marta ma cercava lei, forse è stata un'imprudenza da parte sua, comunque ora forse qualcuno sa che io sono in contatto con lei, credo che questo creerà dei problemi. E io cosa devo fare?, chiese Monteiro Rossi. Se ha un posto più sicuro è meglio che ci vada, altrimenti resti qui e staremo a vedere, rispose Pereira. Portò in tavola le ciliege sotto spirito e ne prese una senza sugo. Monteiro Rossi si riempì il bicchiere. In quel momento sentirono bussare alla porta. Erano colpi decisi come se volessero sfondarla. Pereira si chiese come erano riusciti a passare dal portone di sotto e rimase qualche secondo in silenzio. I colpi si ripeterono in maniera furiosa. Chi è, chiese Pereira alzandosi, cosa volete? Aprite, polizia, aprite la porta o la facciamo saltare a revolverate, rispose una voce. Monteiro Rossi arretrò precipitosamente verso le camere, ebbe soltanto la forza di dire: i documenti, dottor Pereira, nasconda i documenti. Sono già al sicuro, lo tranquillizzò Pereira, e si diresse verso l'ingresso per aprire la porta. Quando passò davanti al ritratto di sua moglie gettò uno sguardo complice a quel sorriso lontano. Poi aprì la porta, sostiene.

24

Sostiene Pereira che erano tre uomini vestiti con abiti civili e che erano armati di pistole. Il primo che entrò era un magrolino basso con dei baffetti e un pizzo castano. Polizia politica, disse il magrolino basso con l'aria di quello che comandava, dobbiamo perquisire l'appartamento, cerchiamo una persona. Mi faccia vedere il suo tesserino di riconoscimento, si oppose Pereira. Il magrolino basso si rivolse ai suoi due compagni, due tangheri vestiti di scuro, e disse: ehi, ragazzi, avete sentito, che ve ne pare? Uno dei due puntò la pistola contro la bocca di Pereira e sussurrò: ti basta questa come riconoscimento, grassone? Via ragazzi, disse il magrolino basso, non mi trattate così il dottor Pereira, lui è un bravo giornalista, scrive su un giornale di tutto rispetto, magari un po' troppo cattolico, non lo nego, ma allineato sulle buone posizioni. E poi continuò: senta dottor Pereira, non ci faccia perdere tempo, non siamo venuti per fare quattro chiacchiere, e perdere tempo non è il nostro forte, e poi sappiamo che lei non c'entra, lei è una brava persona, semplicemente non ha capito con chi aveva a che fare, lei ha dato fiducia a un tipo sospetto, ma io non voglio metterla nei guai, ci lasci solo fare il nostro lavoro. Io dirigo la pagina culturale del "Lisboa", disse Pereira, voglio parlare con qualcuno, voglio telefonare al mio direttore, lui lo sa che siete a casa mia? Via, dottor Pereira, rispose il magrolino basso con voce melliflua, le pare che se facciamo un'azione di polizia avvisiamo prima il suo direttore, ma che discorsi fa? Ma voi non siete la polizia, si ostinò Pereira, non vi siete qualificati, siete in borghese, non avete nessun permesso per entrare in casa mia. Il magrolino basso si rivolse di nuovo ai due tangheri con un sorrisetto e disse: il padrone di casa è ostinato, ragazzi, chissà cosa bisogna fare per convincerlo. L'uomo che teneva la pistola puntata contro Pereira gli dette un poderoso manrovescio e Pereira barcollò. Dài, Fonseca, non fare così, disse il magrolino basso, non devi maltrattare il dottor Pereira, altrimenti me lo spaventi troppo, lui è un uomo fragile, nonostante la mole, si interessa di cultura, è un intellettuale, il dottor Pereira deve essere convinto con le buone, altrimenti si piscia sotto. Il tanghero che si chiamava Fonseca mollò un altro manrovescio a Pereira e Pereira barcollò di nuovo, sostiene. Fonseca, disse sorridendo il magrolino basso, tu sei troppo manesco, io devo tenerti a bada altrimenti mi rovini il lavoro. Poi si rivolse a Pereira e gli disse: dottor Pereira, come le ho detto non ce l'abbiamo con lei, siamo solo venuti a dare una piccola lezione a un giovanotto che sta in casa sua, una persona che ha bisogno di una piccola lezione perché non conosce quali sono i valori della patria, li ha smarriti, poveretto, e noi siamo venuti per farglieli ritrovare. Pereira si strofinò la guancia e mormorò: qui non c'è nessuno. Il magrolino basso si dette un'occhiata intorno e disse: senta, dottor Pereira, ci faciliti il compito, al giovanotto ospite suo noi dobbiamo solo chiedere delle cose, gli faremo solo un piccolo interrogatorio e faremo in modo che recuperi i valori patriottici, non vogliamo fare di più, siamo venuti per questo. E allora mi faccia telefonare alla polizia, insistette Pereira, che vengano loro e che lo portino in questura, è lì che si fanno gli interrogatori, non in un appartamento. Via, dottor Pereira, disse il magrolino basso con il suo sorrisetto, lei non è affatto comprensivo, il suo appartamento è l'ideale per un interrogatorio privato come il nostro, la sua portiera non c'è, i suoi vicini sono andati a Oporto, la serata è tranquilla e questo palazzo è una delizia, è più discreto di un ufficio di polizia.

Poi fece un cenno al tanghero che aveva chiamato Fonseca e costui spinse Pereira fino in sala da pranzo. Gli uomini guardarono intorno ma non videro nessuno, solo la tavola apparecchiata con i resti del cibo. Una cenetta intima, dottor Pereira, disse il magrolino basso, vedo che avete fatto una cenetta intima con le candele e tutto, ma che romantico. Pereira non rispose. Senta, dottor Pereira, disse il magrolino basso con l'aria melliflua, lei è vedovo e donne non ne frequenta, come vede so tutto di lei, non è che le piacciono i ragazzi giovani, per caso? Pereira si passò di nuovo la mano sulla guancia e disse: lei è una persona infame, e tutto questo è infame. Via, dottor Pereira, continuò il magrolino basso, ma l'uomo è uomo, lo sa bene anche lei, e se un uomo trova un bel giovanotto biondo con un bel culetto la cosa è comprensibile. E poi, con tono duro e deciso, riprese: dobbiamo metterle a soqquadro la casa o preferisce venire a patti? È di là, rispose Pereira, nello studio o in camera da letto. Il magrolino basso dette degli ordini ai due tangheri. Fonseca, disse, non avere la mano troppo pesante, non voglio problemi, ci basta dargli una lezioncina e sapere quello che vogliamo sapere, e tu, Lima, comportati bene, so che hai portato il manganello e che lo tieni sotto la camicia, ma ricordati che sulla testa non voglio colpi, semmai sulle spalle e sui polmoni, che fanno più male e non lasciano tracce. D'accordo comandante, risposero i due tangheri. Entrarono nello studio e richiusero la porta dietro di loro. Bene, disse il magrolino basso, bene, dottor Pereira, facciamo due chiacchiere mentre i due assistenti fanno il loro lavoro. Io voglio telefonare alla polizia, ripeté Pereira. La polizia, sorrise il magrolino basso, ma la polizia sono io, dottor Pereira, o per lo meno ne sto facendo le veci, perché anche la nostra polizia la notte dorme, sa, la nostra è una polizia che ci protegge tutto il santo giorno, ma la sera va a dormire perché è esausta, con tutti i malfattori che ci sono in giro, con tutte le persone come il suo ospite che hanno perso il senso della patria, ma mi dica, dottor Pereira, perché si è messo in questo pasticcio? Non mi sono messo in nessun pasticcio, rispose Pereira, ho solo assunto un praticante per il "Lisboa". Certo, dottor Pereira, certo, disse il magrolino basso, ma lei però doveva prendere prima informazioni, doveva consultare la polizia o il suo direttore, dare le generalità del suo presunto praticante, permette che prenda una ciliegia sotto spirito?

Pereira sostiene che a quel punto si alzò dalla seggiola. Si era messo a sedere perché sentiva il cuore in gola, ma a quel punto si alzò e disse: ho sentito delle grida, voglio andare a vedere cosa succede in camera mia. Il magrolino basso gli puntò la pistola. Al suo posto non lo farei, dottor Pereira, disse, i miei uomini stanno facendo un lavoro delicato e per lei sarebbe sgradevole assistere, lei è un uomo sensibile, dottor Pereira, è un intellettuale, e poi soffre di cuore, certi spettacoli non le fanno bene. Voglio telefonare al mio direttore, insistette Pereira, mi lasci telefonare al mio direttore. Il magrolino basso fece un sorriso ironico. Il suo direttore adesso sta dormendo, replicò, magari sta dormendo abbracciato a una bella donna, sa, il suo direttore è un uomo vero, dottor Pereira, un uomo con i coglioni, non è come lei che cerca i culetti dei giovanotti biondi. Pereira si sporse in avanti e gli dette uno schiaffo. Il magrolino basso, di scatto, lo colpì con la pistola e Pereira cominciò a sanguinare dalla bocca. Questo non doveva farlo, dottor Pereira, disse l'uomo, mi hanno detto di aver rispetto per lei, ma tutto ha un limite, se lei è un imbecille che riceve sovversivi in casa non è colpa mia, io potrei piantarle una pallottola in gola e lo farei anche volentieri, non lo faccio solo perché mi hanno detto di usarle rispetto, ma non abusi, dottor Pereira, non abusi, perché potrei perdere la pazienza.

Pereira sostiene che a quel punto udì un altro grido soffocato e che si lanciò contro la porta dello studio. Ma il magrolino basso lo fronteggiò e gli dette una spinta. La spinta fu più forte della mole di Pereira, e Pereira indietreggiò. Senta, dottor Pereira, disse il magrolino basso, non mi costringa a usare la pistola, avrei una bella voglia di ficcarle una pallottola in gola o magari nel cuore, che è il suo punto debole, ma non lo faccio perché qui non vogliamo morti, siamo venuti solo per dare una lezione di patriottismo, e anche a lei un po' di patriottismo farebbe bene, visto che sul suo giornale non pubblica altro che scrittori francesi. Pereira si mise di nuovo a sedere, sostiene, e disse: gli scrittori francesi sono gli unici che hanno del coraggio in un momento come questo. Lasci che le dica che gli scrittori francesi sono delle merde, disse il magrolino basso, andrebbero tutti messi al muro e dopo morti pisciarci sopra. Lei è una persona volgare, disse Pereira. Volgare ma patriottica, rispose l'uomo, non sono come lei, dottor Pereira, che cerca complicità negli scrittori francesi.

In quel momento i due tangheri aprirono la porta. Sembravano nervosi e avevano un'aria affannata. Il giovanotto non voleva parlare, dissero, gli abbiamo dato una lezione, abbiamo usato le maniere forti, forse è meglio filarcela. Avete fatto dei disastri?, chiese il magrolino basso. Non lo so, rispose quello che si chiamava Fonseca, credo che sia meglio andar via. E si precipitò alla porta seguito dal suo compagno. Senta, dottor Pereira, disse il magrolino basso, lei non ci ha mai visti in casa sua, non faccia il furbo, lasci perdere le sue amicizie, tenga presente che questa è stata una visita di cortesia, perché la prossima volta potremmo venire per lei. Pereira chiuse la porta a chiave e li sentì discendere le scale, sostiene. Poi si precipitò in camera da letto e trovò Monteiro Rossi riverso sul tappeto. Pereira gli dette uno schiaffetto e disse: Monteiro Rossi, si faccia forza, è passato tutto. Ma Monteiro Rossi non dette alcun segno di vita. Allora Pereira andò in bagno, inzuppò un asciugamano e glielo passò sul volto. Monteiro Rossi, ripeté, è tutto finito, sono andati via, si svegli. Solo in quel momento si accorse che l'asciugamano era tutto bagnato di sangue e vide che i capelli di Monteiro Rossi erano pieni di sangue. Monteiro Rossi aveva gli occhi spalancati e guardava il soffitto. Pereira gli dette un altro schiaffetto, ma Monteiro Rossi non si mosse. Allora Pereira gli prese il polso, ma nelle vene di Monteiro Rossi la vita non scorreva più. Gli chiuse quegli occhi chiari spalancati e gli coprì il volto con l'asciugamano. Poi gli distese le gambe, per non lasciarlo così rattrappito, gli distese le gambe come devono essere distese le gambe di un morto. E pensò che doveva fare presto, molto presto, ormai non c'era più tanto tempo, sostiene Pereira.

25

Pereira sostiene che gli venne un'idea folle, ma forse poteva metterla in pratica, pensò. Si mise la giacca e uscì. Davanti alla cattedrale c'era un caffè che restava aperto fino a tardi e che aveva un telefono. Pereira entrò e si guardò intorno. Nel caffè c'era un gruppo di ritardatari che giocavano a carte con il padrone. Il cameriere era un ragazzo insonnolito che oziava dietro il banco. Pereira ordinò una limonata, si diresse al telefono e fece il numero della clinica talassoterapica di Parede. Chiese del dottor Cardoso. Il dottor Cardoso è già andato in camera sua, chi lo vuole?, disse la voce della telefonista. Sono il dottor Pereira, disse Pereira, ho urgente bisogno di parlare con lui. Glielo vado a chiamare ma deve attendere qualche minuto, disse la telefonista, il tempo di scendere. Pereira attese pazientemente finché non arrivò il dottor Cardoso. Buonasera, dottor Cardoso, disse Pereira, vorrei dirle una cosa importante, ma ora non posso. Cosa c'è, dottor Pereira, chiese il dottor Cardoso, non si sente bene? Effettivamente non mi sento bene, rispose Pereira, ma non è questo che conta, il fatto è che in casa mia è successo un grave problema, non so se il mio telefono privato è sorvegliato, ma non importa, ora non le posso dire altro, ho bisogno del suo aiuto, dottor Cardoso. Mi dica in che modo, disse il dottor

Cardoso. Ebbene, dottor Cardoso, disse Pereira, domani a mezzogiorno le telefono, lei deve farmi un favore, deve fingere di essere un pezzo grosso della censura, deve dire che il mio articolo ha ricevuto il visto, è solo questo. Non capisco, replicò il dottor Cardoso. Senta, dottor Cardoso, disse Pereira, le telefono da un caffè e non le posso dare spiegazioni, ho in casa un problema che lei non si immagina neppure, ma lo apprenderà dall'edizione del "Lisboa" del pomeriggio, ci sarà scritto tutto nero su bianco, ma lei deve farmi un grosso favore, deve sostenere che il mio articolo ha il suo beneplacito, ha capito?, deve dire che la polizia portoghese non ha paura di scandali, che è una polizia pulita e che non ha paura di scandali. Ho capito, disse il dottor Cardoso, domani a mezzogiorno aspetto la sua telefonata.

Pereira rientrò in casa. Andò in camera da letto e tolse l'asciugamano dal volto di Monteiro Rossi. Lo coprì con un lenzuolo. Poi andò nello studio e si sedette davanti alla macchina per scrivere. Scrisse come titolo: *Assassinato un giornalista*. Poi andò a capo e cominciò a scrivere: «Si chiamava Francesco Monteiro Rossi, era di origine italiana. Collaborava con il nostro giornale con articoli e necrologi. Ha scritto testi sui grandi scrittori della nostra epoca, come Majakovskji, Marinetti, D'Annunzio, García Lorca. I suoi articoli non sono stati ancora pubblicati, ma forse lo saranno un giorno. Era un ragazzo allegro, che amava la vita e che invece era stato chiamato a scrivere sulla morte, compito al quale non si era sottratto. E stanotte la morte è andata a cercarlo. Ieri sera, mentre cenava dal direttore della pagina culturale del 'Lisboa', il dottor Pereira che scrive questo articolo, tre uomini armati hanno fatto irruzione nell'appartamento. Si sono qualificati come polizia politica, ma non hanno esibito nessun documento che avvalorasse la loro parola. Si tende a escludere che si trattasse di vera polizia, perché erano vestiti in borghese e perché si spera che la polizia del nostro paese non usi questi metodi. Erano dei facinorosi, che agivano con la complicità di non si sa chi, e sarebbe bene che le autorità indagassero su questo turpe avvenimento. Li guidava un uomo magro e basso, con i baffi e un pizzetto, che gli altri due chiamavano comandante. Gli altri due sono stati più volte chiamati per nome dal loro comandante. Se i nomi non erano falsi essi si chiamano Fonseca e Lima, sono due uomini alti e robusti, di incarnato scuro, con l'aria poco intelligente. Mentre l'uomo magro e basso teneva sotto il tiro della pistola chi scrive questo articolo, il Fonseca e il Lima hanno trascinato Monteiro Rossi in camera da letto per interrogarlo, secondo quanto loro stessi hanno dichiarato. Chi scrive questo articolo ha udito colpi e gridi soffocati. Poi i due uomini hanno detto che il lavoro era fatto. I tre hanno rapidamente abbandonato l'appartamento di chi scrive minacciandolo di morte, se avesse divulgato il fatto. Chi scrive si è recato in camera da letto e non ha potuto fare altro che constatare il decesso del giovane Monteiro Rossi. Era stato pestato a sangue, e dei colpi, inferti con il manganello o con il calcio della pistola, gli avevano fracassato il cranio. Il suo cadavere si trova attualmente al secondo piano di Rua da Saudade numero 22, in casa di chi scrive questo articolo. Monteiro Rossi era orfano e non aveva parenti. Era innamorato di una ragazza bella e dolce di cui non conosciamo il nome. Sappiamo solo che aveva i capelli color rame e che amava la cultura. A questa ragazza, se ci legge, noi porgiamo le nostre condoglianze più sincere e i nostri più affettuosi saluti. Invitiamo le autorità competenti a vigilare attentamente su questi episodi di violenza che alla loro ombra, e forse con la complicità di qualcuno, vengono perpetrati oggi in Portogallo».

Pereira andò a capo e sotto, a destra, mise il suo nome: Pereira. Firmò soltanto Pereira, perché era così che tutti lo conoscevano, con il cognome, come aveva firmato tutti i suoi articoli di cronaca nera per tanti anni.

Alzò gli occhi alla finestra e vide che albeggiava sulle braccia delle palme della caserma di fronte. Sentì uno squillo di tromba. Pereira si sdraiò su una poltrona e si addormentò. Quando si svegliò era già giorno alto e Pereira guardò allarmato l'orologio. Pensò che doveva fare in fretta, sostiene. Si fece la barba, si sciacquò il viso con acqua fresca e uscì. Trovò un taxi davanti alla cattedrale e si fece portare alla sua redazione. Nel suo bugigattolo c'era la Celeste, che lo salutò con aria cordiale. Niente per me?, chiese Pereira. Nessuna novità, dottor Pereira, rispose Celeste, solo che mi hanno dato una settimana di ferie. E mostrandogli il calendario continuò: ritorno il prossimo sabato, per una settimana dovrà fare a meno di me, oggigiorno lo Stato protegge i più deboli, insomma la gente come me, non per niente siamo corporativi. Cercheremo di non sentire troppo la sua mancanza, mormorò Pereira, e salì le scale. Entrò in redazione e prese dall'archivio la cartellina dove aveva scritto "Necrologi". La mise in una borsa di cuoio e uscì. Si fermò al Café Orquídea e pensò che aveva tempo di sedersi cinque minuti e prendere una bibita. Una limonata, dottor Pereira?, chiese sollecito Manuel mentre lui si accomodava al tavolo. No, rispose Pereira, prendo un porto secco, preferisco un porto secco. È una novità, dottor Pereira, disse Manuel, e poi a quest'ora, comunque mi fa piacere, vuol dire che sta meglio. Manuel gli mise il bicchiere e gli lasciò la bottiglia. Senta, dottor Pereira, disse Manuel, le lascio la bottiglia, se ha voglia di farsi un altro bicchiere faccia pure, e se desidera un sigaro glielo porto subito. Portami un sigaro leggero, disse Pereira, ma a proposito, Manuel, tu hai un amico che riceve radio Londra, che notizie ci sono? Pare che i repubblicani le stiano buscando, disse Manuel, ma sa, dottor Pereira, fece abbassando la voce, hanno parlato anche del Portogallo. Ah sì, disse Pereira, e cosa dicono di noi? Dicono che viviamo in una dittatura, rispose il cameriere, e che la polizia tortura le persone. Tu che ne dici, Manuel?, chiese Pereira. Manuel si grattò la testa. Lei che ne dice, dottor Pereira?, replicò, lei è nel giornalismo e di queste cose se ne intende. Io dico che gli inglesi hanno ragione, dichiarò Pereira. Accese il sigaro e pagò il conto, poi uscì e prese un taxi per andare in tipografia. Quando arrivò trovò il proto tutto affannato. Il giornale va in macchina fra un'ora, disse il proto, dottor Pereira, ha fatto bene a mettere il racconto di Camilo Castelo Branco, è una bellezza, io l'ho letto da ragazzo a scuola, ma è ancora una bellezza. Bisognerà accorciarlo di una colonna, disse Pereira, ho qui un articolo che chiude la pagina culturale, è un necrologio. Pereira gli tese il foglio, il proto lo lesse e si grattò la testa. Dottor Pereira, disse il proto, è una faccenda molto delicata, lei me lo porta all'ultimo momento e non c'è il visto della censura, mi pare che qui si parli di fatti gravi. Senta, signor Pedro, disse Pereira, noi ci conosciamo da quasi trent'anni, da quando facevo la cronaca nera nel giornale più importante di Lisbona, le ho mai causato dei guai? Non me ne ha mai causati, rispose il proto, ma ora i tempi sono cambiati, non è come nel passato, ora c'è tutta questa burocrazia e io devo rispettarla, dottor Pereira. Ascolti, signor Pedro, disse Pereira, il permesso me lo hanno dato alla censura oralmente, ho telefonato mezz'ora fa dalla redazione, ho parlato con il maggiore Lourenço, lui è d'accordo. Però sarebbe meglio telefonare al direttore, obiettò il proto. Pereira fece un sospiro profondo e disse: d'accordo, telefoni pure, signor Pedro. Il proto fece il numero e Pereira stette a sentire con il cuore in gola. Capì che il proto parlava con la signorina Filipa. Il direttore è uscito per il pranzo, disse il signor Pedro, ho parlato con la segretaria, non rientra fino alle tre. Alle tre il giornale è già pronto, disse Pereira, non possiamo aspettare fino alle tre. Non possiamo proprio, disse il proto, non so che fare, dottor Pereira. Senta, suggerì Pereira, la cosa migliore è telefonare direttamente alla censura, forse riusciamo a parlare con il maggiore Lourenço. Il maggiore Lourenço, esclamò il proto come se avesse paura di quel nome, con lui direttamente? È un amico, disse Pereira con finta noncuranza, stamani gli ho letto il mio articolo, lui è perfettamente d'accordo, ci parlo tutti i giorni, signor Pedro, è il mio lavoro. Pereira prese il telefono e fece il numero della clinica talassoterapica di Parede. Sentì la voce del dottor Cardoso. Pronto, maggiore, disse Pereira, sono il dottor Pereira del "Lisboa", sono qui in tipografia per inserire quell'articolo che le ho letto stamani ma il tipografo è indeciso perché manca il suo visto stampato, veda un po' di convincerlo, ora glielo passo. Tese la cornetta al proto e lo osservò mentre parlava. Il signor Pedro cominciò a annuire. Certo, signor maggiore, diceva, d'accordo, signor maggiore. Poi posò la cornetta e guardò Pereira. Allora?, chiese Pereira. Dice che la polizia portoghese non ha paura di questi scandali, disse il tipografo, che ci sono in giro dei malfattori che vanno denunciati e che il suo articolo deve uscire oggi, dottor Pereira, è quanto mi ha detto. E poi continuò: e mi ha detto anche: dica al dottor Pereira di scrivere un articolo sull'anima, che ne abbiamo bisogno tutti, così mi ha detto, dottor Pereira. Avrà voluto scherzare, disse Pereira, comunque domani ci parlo io.

Lasciò il suo articolo al signor Pedro e uscì. Si sentiva esausto e aveva un grande rimescolamento negli intestini. Pensò di fermarsi a mangiare un panino al caffè dell'angolo, invece ordinò solo una limonata. Poi prese un taxi e si fece portare fino alla cattedrale. Entrò in casa con cautela, con il timore che qualcuno lo stesse aspettando. Ma in casa non c'era nessuno, solo un grande silenzio. Andò in camera da letto e dette uno sguardo al lenzuolo che copriva il corpo di Monteiro Rossi. Poi prese una piccola valigia, ci mise lo stretto necessario e la cartellina dei necrologi. Andò alla libreria, e cominciò a sfogliare i passaporti di Monteiro Rossi. Finalmente ne trovò uno che faceva al caso suo. Era un bel passaporto francese, fatto molto bene, la fotografia era quella di un uomo grasso con le borse sotto gli occhi, e l'età corrispondeva. Si chiamava Baudin, François Baudin. Gli parve un bel nome, a Pereira. Lo cacciò in valigia e prese il ritratto di sua moglie. Ti porto con me, gli disse, è meglio che tu venga con me. Lo mise a testa in su, perché respirasse bene. Poi si dette uno sguardo intorno e consultò l'orologio.

Era meglio affrettarsi, il "Lisboa" sarebbe uscito fra poco e non c'era tempo da perdere, sostiene Pereira.

25 agosto 1993

Nota

Il presente testo è stato pubblicato su "Il Gazzettino", settembre 1994.

Il dottor Pereira mi visitò per la prima volta in una sera di settembre del 1992. A quell'epoca lui non si chiamava ancora Pereira, non aveva ancora i tratti definiti, era qualcosa di vago, di sfuggente e di sfumato, ma aveva già la voglia di essere protagonista di un libro. Era solo un personaggio in cerca d'autore. Non so perché scelse proprio me per essere raccontato. Un'ipotesi possibile è che il mese prima, in una torrida giornata d'agosto di Lisbona, anch'io avevo fatto una visita. Ricordo con nitidezza quel giorno. Al mattino comprai un quotidiano della città e lessi la notizia che un vecchio giornalista era deceduto all'Ospital de Santa Maria di Lisbona e che le sue spoglie erano visibili per l'estremo omaggio nella cappella di quell'ospedale. Per discrezione non desidero rivelare il nome di quella persona. Dirò solo che era una persona che avevo fuggevolmente conosciuto a Parigi, alla fine degli anni sessanta, quando egli, da esiliato portoghese, scriveva su un giornale parigino. Era un uomo che aveva esercitato il suo mestiere di giornalista negli anni quaranta e cinquanta, in Portogallo, sotto la dittatura di Salazar. Ed era riuscito a giocare una beffa alla dittatura salazarista pubblicando su un giornale portoghese un articolo feroce contro il regime. Poi, naturalmente, aveva avuto seri problemi con la

211

polizia e aveva dovuto scegliere la via dell'esilio. Sapevo che dopo il Settantaquattro, quando il Portogallo ritrovò la democrazia, era ritornato nel suo paese, ma non lo avevo più incontrato. Non scriveva più, era in pensione, non so come vivesse, era stato purtroppo dimenticato. In quel periodo il Portogallo viveva la vita convulsa e agitata di un paese che ritrovava la democrazia dopo cinquant'anni di dittatura. Era un paese giovane, diretto da gente giovane. Nessuno si ricordava più di un vecchio giornalista che alla fine degli anni quaranta si era opposto con determinazione alla dittatura salazarista.

Andai a visitare la salma alle due del pomeriggio. La cappella dell'ospedale era deserta. La bara era scoperta. Quel signore era cattolico, e gli avevano posato sul petto un cristo di legno. Mi trattenni presso di lui una decina di minuti. Era un vecchio robusto, anzi grasso. Quando lo avevo conosciuto a Parigi era un uomo sui cinquant'anni, agile e svelto. La vecchiaia, forse una vita difficile, avevano fatto di lui un vecchio grasso e flaccido. Ai piedi della bara, su un piccolo leggio, c'era un registro aperto dove erano riportate le firme dei visitatori. C'erano scritti alcuni nomi, ma io non conoscevo nessuno. Forse erano suoi vecchi colleghi, gente che aveva vissuto con lui le stesse battaglie, giornalisti in pensione.

In settembre, come dicevo, Pereira a sua volta mi visitò. Lì per lì non seppi cosa dirgli, eppure capii confusamente che quella vaga sembianza che si presentava sotto l'aspetto di un personaggio letterario era un simbolo e una metafora: in qualche modo era la trasposizione fantasmatica del vecchio giornalista a cui avevo portato l'estremo saluto. Mi sentii imbarazzato ma l'accolsi con affetto. Quella sera di settembre compresi vagamente che un'anima che vagava nello spazio dell'etere aveva bisogno di me per raccontarsi, per descrivere una scelta, un tormento, una vita. In quel privilegiato spazio che precede il momento di prendere sonno e che per me è lo spazio più idoneo per ricevere le visite dei miei personaggi, gli dissi che tornasse ancora, che si confidasse con me, che mi raccontasse la sua storia. Lui tornò e io gli trovai subito un nome: Pereira. In portoghese Pereira significa albero del pero, e come tutti i nomi degli alberi da frutto, è un cognome di origine ebraica, così come in Italia i cognomi di origine ebraica sono nomi di città. Con questo volli rendere omaggio a un popolo che ha lasciato una grande traccia nella civiltà portoghese e che ha subito le grandi ingiustizie della Storia. Ma c'era un altro motivo, questo di origine letteraria, che mi spingeva verso questo nome: un piccolo intermezzo di Eliot intitolato *What about Pereira?* in cui due amiche evocano, nel loro dialogo, un misterioso portoghese chiamato Pereira, del quale non si saprà mai niente. Del mio Pereira invece io cominciavo a sapere molte cose. Nelle sue visite notturne mi andava raccontando che era vedovo, cardiopatico e infelice. Che amava la letteratura francese, specialmente gli scrittori cattolici fra le due guerre, come Mauriac e Bernanos, che era ossessionato dall'idea della morte, che il suo migliore confidente era un francescano chiamato Padre António, dal quale si confessava timoroso di essere un eretico perché non credeva nella resurrezione della carne. E poi, le confessioni di Pereira, unite all'immaginazione di chi scrive, fecero il resto. A Pereira trovai un mese cruciale della sua vita, un mese torrido, l'agosto del 1938. Ripensai all'Europa sull'orlo del disastro della seconda guerra mondiale, alla guerra civile spagnola, alle tragedie del nostro passato prossimo. E nell'estate del novantatré, quando Pereira, divenuto un mio vecchio amico, mi aveva raccontato la sua storia, io potei scriverla. La scrissi a Vecchiano, in due mesi anch'essi torridi, di intenso e furibondo lavoro. Per una fortunata coincidenza finii di scrivere l'ultima pagina il 25 agosto del 1993. E volli registrare quella data sulla pagina perché è per me un giorno importante: il compleanno di mia figlia. Mi parve un segnale, un auspicio. Il giorno felice della nascita di un mio figlio nasceva anche, grazie alla forza della scrittura, la storia della vita di un uomo. Forse, nell'imperscrutabile trama degli eventi che gli dèi ci concedono, tutto ciò ha un suo significato.

Antonio Tabucchi